특허청 등록
최보규 자기계발코칭 창시자
등록 번호: 제 40-2072344 호

**강사는 누구나 한다. 다만
강사 비수기 5개월은 아무나 극복하지 못한다.**

> 강사는 누구나 한다. 다만
> 강사 비수기 5개월은 아무나 극복하지 못한다.

방탄강사기술력 사명

들어라 하지 말고 듣게 하자.

누구처럼 살지 말고 나답게 살자.

좋아하게 하지 말고 좋아지게 하자.

마음을 얻으려 하지 말고 마음을 열게 하자.

믿으라 말하지 말고 믿을 수 있는 사람이 되자.

좋은 사람을 기다리지 말고 좋은 사람이 되어주자.

보여주는(인기) 인생을 사는 것이 아닌

보여지는(인정) 인생을 살아가자.

나 이런 사람이야 말하지 않아도 이런 사람이구나.

몸, 머리, 마음으로 느끼게 하자

-최보규 방탄기술력 창시자 -

방탄자기계발사관학교
최보규 참모총장

지금처럼이 아닌 지금부터 살게 해주겠습니다.
때를 기다리는 사람이 아닌 때를 만들어가는
사람으로 변화시켜 주겠습니다.
세상에는 최보규 코칭전문가 보다
코칭을 잘 하는 사람 많습니다.
하지만 세상에서 최보규 코칭전문가 만큼
함께 하는 사람을
자립할 수 있을 때까지 케어해주는 사람은 없을 것입니다!

최보규 방탄자기계발사관학교 참모총장

Google 자기계발아마존   ▶YouTube 방탄자기계발   NAVER 방탄자기계발사관학교   NAVER 최보규

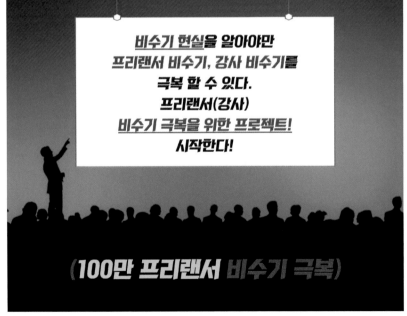

강사 비수기 5개월

프리랜서 한 달에 1,000만 원 번다?
강사 한 달에 1,000만 원 벌 수 있다?
억대 연봉은 환상 속에 존재한다.
프리랜서 현실은 90%가 투잡, 쓰리잡, 생활고...

프르랜서(강사) 실태 조사!

서울시 프리랜서 1,000명 실태 조사!

1,000만 원 이상 1%?
1억 연봉 0.1%?

50~100만 원 32.6%
100~200만 원 39%
200~300만 원 15.5%
300~400만 원 7%
400만 원 이상 5.8%

<서울특별시>

강사 비수기 5개월

프르랜서(강사) **39%**가 평균 **152만 원.**
(24년 최저 임금 206만 원)
<u>최저 임금 보다 못 버는 강사가 대부분이다.</u>

100만 프리랜서 90%가 생계형!

강사 비수기 5개월

생계형 강사가 90% 현실인데 강사양성 하는 교육자들, 강사책들 대부분이 "한 달에 1,000만 원 강사 될 수 있습니다! 1억 연봉 강사 될 수 있습니다!" 라는 거짓말로 시작하는 강사들을 <u>현혹시킨다.</u> 강사 직업에 <u>직무유기</u>를 하고 있다.

한 달 1,000만 원 강사?
1억 연봉 강사?

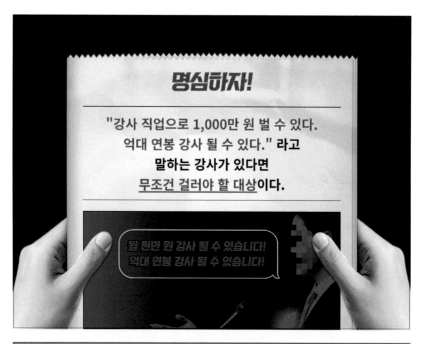

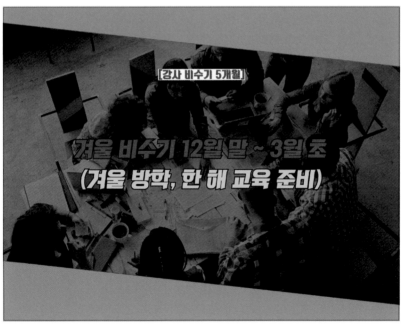

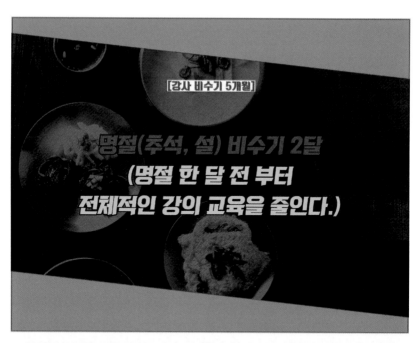

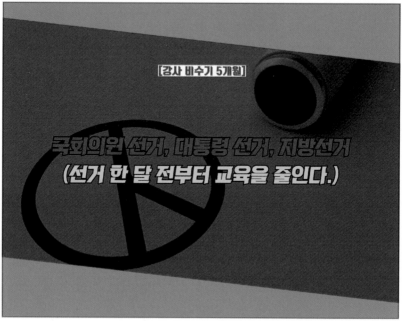

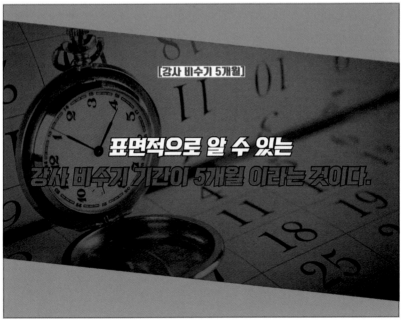

강사 비수기 5개월을
극복하기 위한 선택지는
2가지뿐이다.

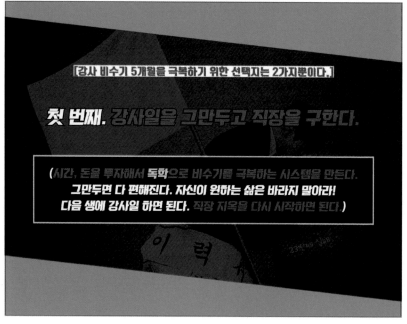

[강사 비수기 5개월을 극복하기 위한 선택지는 2가지뿐이다.]

첫 번째. 강사일을 그만두고 직장을 구한다.

(시간, 돈을 투자해서 **독학**으로 비수기를 극복하는 시스템을 만든다.
그만두면 다 편해진다. 자신이 원하는 삶은 바라지 말아라!
다음 생에 강사일 하면 된다. 직장 지옥을 다시 시작하면 된다.)

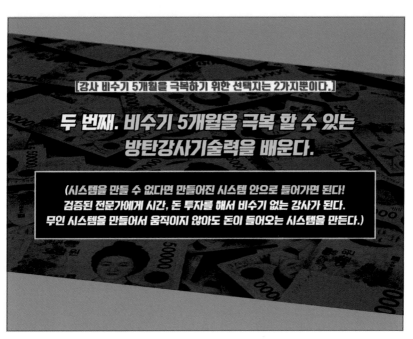

[강사 비수기 5개월을 극복하기 위한 선택지는 2가지뿐이다.]

두 번째. 비수기 5개월을 극복 할 수 있는 방탄강사기술력을 배운다.

(시스템을 만들 수 없다면 만들어진 시스템 안으로 들어가면 된다!
검증된 전문가에게 시간, 돈 투자를 해서 비수기 없는 강사가 된다.
무인 시스템을 만들어서 움직이지 않아도 돈이 들어오는 시스템을 만든다.)

20,000명 심리 상담, 코칭으로 알게 된

강사 비수기 5개월

돈 못 버는 강사 6가지 유형

돈 버는 강사 6가지 유형

20,000명 심리 상담, 코칭으로 알게 된
강사 비수기 5개월 <u>돈 못 버는 강사 6가지 유형</u>

1. 강사 인맥 없음.
2. 강의 거래처 없음.
3. 강사 스펙 없음.
4. 강사료 10만 원 이하 강의만 하는 강사 (평균 10건 강의 중 80%가 10만 원 이하 강의를 하는 강사. 10건 중 8건 평균 강사료가 1시간에 10만 원 이라면 강사 몸값은 10만 원이 되는 것이다.)
5. 강의 경력이 10년, 20년이 되어도 강사료가 그대로인 강의를 하는 강사 (관공서 강의, 학교 강의, 복지관 강의, 의무 교육 강의...강사료가 100년이 지나도 고정되어 있는 강의 분야)
6. 온라인 콘텐츠, 디지털 콘텐츠 디자인 제작을 못하는 강사

#. 6가지 유형 중 한 가지라도 해당되면 돈을 벌 수 없다.

20,000명 심리 상담, 코칭으로 알게 된
강사 비수기 5개월 <u>돈 버는 강사 6가지 유형</u>

1. 강사 양성 교육 시스템(강사 교육, 코칭)이 있는 강사
2. 민간 자격증 교육 시스템(검증된 민간 자격증 발급 기관)이 있는 강사
3. 단톡, 밴드, 카페, 모임방(100명 이상)을 운영하는 단체, 협회 장
4. 강사 에이전시(기업과 강사를 연결) 역할을 하는 단체, 협회 장
5. 강의 전문 분야로 온라인 콘텐츠 제작
   (PPT 디자인, 영상 디자인, 홍보 디자인)을 할 수 있는 강사
6. 책, 디지털 콘텐츠 제작으로 무인 시스템을 만든 강사

#. 6가지 유형을 모두 하더라도 돈을 무조건 버는 것이 아니다. 극소수 강사만 돈을 번다.(0.1%)

돈 못 버는 강사 6가지 유형

돈 버는 강사 6가지 유형

지금까지 내용을 제대로 봤다면
<u>무조건</u> 이런 생각이 들 것이다.

돈 못 버는 강사 6가지 유형

돈 버는 강사 6가지 유형

"강사 비수기 5개월 돈 버는 강사 6가지 유형 중에는 <u>하나도 해당</u> <u>이 안 되고</u> 돈을 못 버는 강사 6가지 유형에는 <u>해당되는 게 많은</u> <u>데...</u> 강사일 접어야 되나? 강사 직업 앞이 깜깜하네. 강사일 너무 대충 했다. 강사 직업 보통이 아니다. 강사일 그래도 미련이 남았 는데 지금부터라도 제대로 하고 싶은데 방법이 없나?"

당신에 천재일우 시스템!
강사계의 스티브잡스!
강사계 혁신!

[천재일우(千載一遇): 천 년에 한 번 만난다는 뜻으로 좀처럼 만나기 어려운 기회]

어떤 영상에서도
말하지 못한
프리랜서 비수기
강사 비수기
극복 기술력

어떤 책에서도
볼 수 없는
프리랜서 비수기
강사 비수기
극복 기술력

어떤 교육, 코칭에서도
들을 수 없는
프리랜서 비수기
강사 비수기
극복 기술력

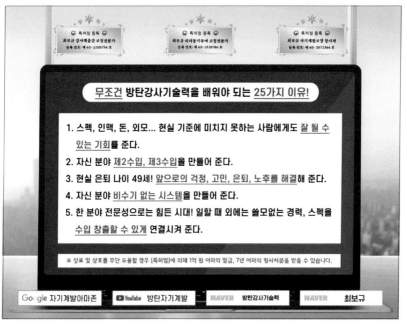

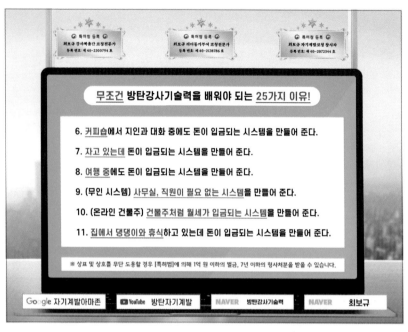

무조건 방탄강사기술력을 배워야 되는 25가지 이유!

6. 커피숍에서 지인과 대화 중에도 돈이 입금되는 시스템을 만들어 준다.

7. 자고 있는데 돈이 입금되는 시스템을 만들어 준다.

8. 여행 중에도 돈이 입금되는 시스템을 만들어 준다.

9. (무인 시스템) 사무실, 직원이 필요 없는 시스템을 만들어 준다.

10. (온라인 건물주) 건물주처럼 월세가 입금되는 시스템을 만들어 준다.

11. 집에서 댕댕이와 휴식하고 있는데 돈이 입금되는 시스템을 만들어 준다.

※ 상표 및 상호를 무단 도용할 경우 [특허법]에 의해 1억 원 이하의 벌금, 7년 이하의 형사처분을 받을 수 있습니다.

Google 자기계발아마존 　YouTube 방탄자기계발　NAVER 방탄강사기술력　NAVER 최보규

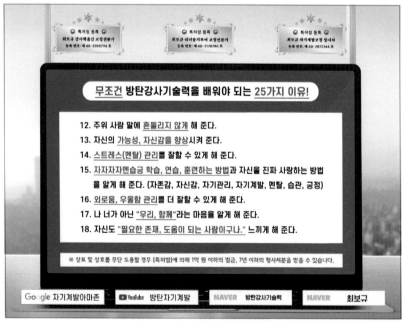

무조건 방탄강사기술력을 배워야 되는 25가지 이유!

12. 주위 사람 말에 흔들리지 않게 해 준다.

13. 자신의 가능성, 자신감을 향상시켜 준다.

14. 스트레스(멘탈) 관리를 잘할 수 있게 해 준다.

15. 자자자멘습긍 학습, 연습, 훈련하는 방법과 자신을 진짜 사랑하는 방법
    을 알게 해 준다. (자존감, 자신감, 자기관리, 자기계발, 멘탈, 습관, 긍정)

16. 외로움, 우울함 관리를 더 잘할 수 있게 해 준다.

17. 나 너가 아닌 "우리, 함께"라는 마음을 알게 해 준다.

18. 자신도 "필요한 존재, 도움이 되는 사람이구나." 느끼게 해 준다.

※ 상표 및 상호를 무단 도용할 경우 [특허법]에 의해 1억 원 이하의 벌금, 7년 이하의 형사처분을 받을 수 있습니다.

Google 자기계발아마존 　YouTube 방탄자기계발　NAVER 방탄강사기술력　NAVER 최보규

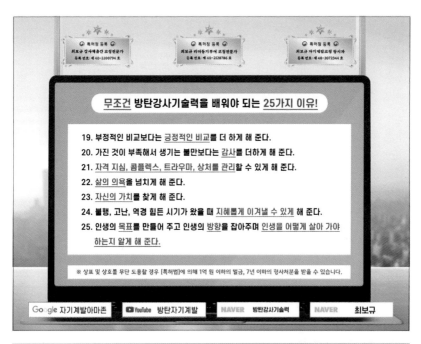

<u>무조건</u> 방탄강사기술력을 배워야 되는 <u>25가지 이유!</u>

19. 부정적인 비교보다는 <u>긍정적인 비교</u>를 더 하게 해 준다.

20. 가진 것이 부족해서 생기는 불만보다는 <u>감사</u>를 더하게 해 준다.

21. <u>자격 지심, 콤플렉스, 트라우마, 상처</u>를 관리할 수 있게 해 준다.

22. 삶의 <u>의욕</u>을 넘치게 해 준다.

23. <u>자신의 가치</u>를 찾게 해 준다.

24. 불행, 고난, 역경 힘든 시기가 왔을 때 <u>지혜롭게 이겨낼 수</u> 있게 해 준다.

25. 인생의 목표를 만들어 주고 인생의 방향을 잡아주며 <u>인생을 어떻게 살아 가야</u> 하는지 알게 해 준다.

※ 상표 및 상호를 무단 도용할 경우 [특허법]에 의해 1억 원 이하의 벌금, 7년 이하의 형사처분을 받을 수 있습니다.

Google 자기계발아마존　　▶YouTube 방탄자기계발　　NAVER 방탄강사기술력　　NAVER 최보규

강사계의 스티브잡스!
강사계 혁신! 방탄강사기술력!

방탄강사기술력은 당신에게
천재일우!

[천재일우(千載一遇): 천 년에 한 번 만난다는 뜻으로 좀처럼 만나기 어려운 기회]

Google 자기계발아마존　　▶YouTube 방탄자기계발　　NAVER 방탄강사기술력　　NAVER 최보규

방탄강사기술력을 무조건
배워야 되는 25가지 이유

강사는 누구나 한다. 다만
강사 비수기 5개월은 아무나 극복하지 못한다.

돈을 버는 강사! 돈을 못 버는 강사!

20,000명 심리 상담, 코칭으로
알게 된 강사 비수기 극복 방법!
세계 최초 오픈!

★★★
ONLY ONE

방탄강사
기술력

방탄강사기술력

커피숍에서 지인과 대화 중에도 돈이 입금되는 시스템?	자고 있는데 돈을 버는 시스템?	여행 중에도 돈이 입금되는 시스템? 
사무실, 직원이 필요 없는 시스템?	건물주처럼 월세가 입금되는 시스템?	집에서 댕댕이와 휴식하고 있는데 돈이 입금되는 시스템?

방탄강사기술력은
강사 비수기 극복, 수입 창출만 하는
기술력이 아니다.
"당신은 제가 좋은 사람이 되고
싶도록 만들어요." 말을 들을 수 있는
강사 인재를 양성하는 기술력이다!

Google 자기계발아마존	▶YouTube 방탄자기계발	NAVER 방탄강사기술력	NAVER 최보규

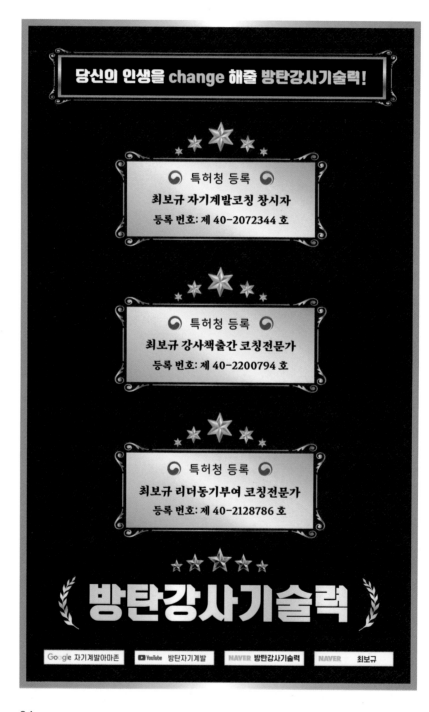

당신의 인생을 change 해줄 방탄강사기술력!

특허청 등록
최보규 자기계발코칭 창시자
등록 번호: 제 40-2072344 호

특허청 등록
최보규 강사책출간 코칭전문가
등록 번호: 제 40-2200794 호

특허청 등록
최보규 리더동기부여 코칭전문가
등록 번호: 제 40-2128786 호

방탄강사기술력

Google 자기계발아마존　　YouTube 방탄자기계발　　NAVER 방탄강사기술력　　NAVER 최보규

평균 희망 은퇴 73세, 현실 은퇴 나이 49세! 100세 시대 언제까지 몸(노동)으로만 일해서 돈을 벌 것인가?

세상, 현실 기준에서 스펙, 돈, 인맥, 자산 등이 없어서 100세까지 노동을 해야 되고 몸까지 아프면 더 답이 없는 상황! 젊을 때는 100가지 중 99가지를 할 수 있지만 나이 들면 100가지 중 99가지를 할 수 없다. 3고 시대, AI 시대, 챗GPT 시대에 자신의 직업이 사라 질 수 있는 상황에서 어떻게 준비, 대비할 것인가?

 방탄강사기술력 선택이 아닌 필수!

기업들 희망퇴직 만 40세부터... **희망퇴직 나이 73세 이고 대한민국 현실 은퇴 나이 49세! 20대 은퇴 예정 자? 30대 은퇴 확정자?** 40대 은퇴 위험군?

노벨상 받은 사람, 하버드 대학교 교수, 은퇴 전문가, 노후 전문가들 1,000명이면 1,000명이 말하는 것은 최고의 은퇴 준비, 노후 준비는 <u>100세까지 현역</u>을 하는 것이다. 왜 가지고 있는 경력을 썩히고 있는가? 쌓은 경력은 사직, 퇴직, 은퇴... 하면 인정해 주지 않는 현실 속에서 쌓은 경력으로 100세까지 지속할 수 있는 JOB이 있다면? 나이 제한 없이 할 수 있는 JOB이 있다면?

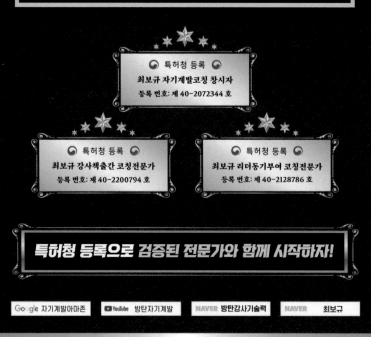

🌀 특허청 등록 🌀
최보규 자기계발코칭 창시자
등록 번호: 제 40-2072344 호

🌀 특허청 등록 🌀
최보규 강사책출간 코칭전문가
등록 번호: 제 40-2200794 호

🌀 특허청 등록 🌀
최보규 리더동기부여 코칭전문가
등록 번호: 제 40-2128786 호

특허청 등록으로 검증된 전문가와 함께 시작하자!

Google 자기계발아마존   ▶ YouTube 방탄자기계발   NAVER 방탄강사기술력   NAVER 최보규

한 분야 전문성으로 힘든 시대다. 이제는 포트폴리오 커리어 시대다. (포트폴리오 커리어: 한 분야 전문성 외 다수에 전문성이 있는 사람) 자신 경력을 왜 썩히고 있는가! 자신 경력을 활용해서 6가지 수입을 발생시킬 수 있는 방탄강사기술력! 언제까지 몸(노동)으로 일할 것인가? 자신 경력이 일하게 하자! 자신 콘텐츠가 일하게 하자! 시스템이 일하게 하자!

★ ★ ★ ★ ★
직장은 자신 인생을 책임져 주지 않지만
방탄강사기술력은 자신 인생을 책임져 준다.
직장은 자신을 배신하지만
방탄강기술력은 자신을 배신하지 않는다.

ONLY ONE

방탄강사
기술력

| Google 자기계발아마존 | ▶YouTube 방탄자기계발 | NAVER 방탄강사기술력 | NAVER 최보규 |

✓ 방탄강사기술력을 무조건 배워야 되는 이유!

25가지

1 | 스펙, 인맥, 돈, 외모... 현실 기준에 미치지 못하는 사람에게도 잘될 수 있는 기회를 준다.

2 | 자신 분야 제2수입, 제3수입을 만들어 준다.

3 | 현실 은퇴 나이 49세! 앞으로의 걱정, 고민, 은퇴, 노후를 해결해 준다.

4 | 자신 분야 비수기 없는 시스템을 만들어 준다.

5 | 한 분야 전문성으로는 힘든 시대! 일할 때 외에는 쓸모 없는 경력, 스펙을 수입 창출할 수 있게 연결시켜 준다.

6 | 커피숍에서 지인과 대화 중에도 돈이 입금되는 시스템을 만들어 준다.

7 | 자고 있는데 돈이 입금되는 시스템을 만들어 준다.

8 | 여행 중에도 돈이 입금되는 시스템을 만들어 준다.

9 | (무인 시스템) 사무실, 직원이 필요 없는 시스템을 만들어 준다.

10 | (온라인 건물주) 건물주처럼 월세가 입금되는 시스템을 만들어 준다.

방탄강사기술력을 ✓ 무조건 배워야 되는 이유! 25가지

11 집에서 댕댕이와 휴식하고 있는데 돈이 입금 되는 시스템을 만들어 준다.

12 주위 사람 말에 흔들리지 않게 해 준다.

13 자신의 가능성, 자신감을 향상시켜 준다.

14 스트레스(멘탈) 관리를 잘할 수 있게 해 준다.

15 자자자자멘습긍 학습, 연습, 훈련하는 방법과 자신을 진 짜 사랑하는 방법 을 알게 해 준다. (자존감, 자신감, 자기 관리, 자기계발, 멘탈, 습관, 긍정)

방탄강사기술력을 ✓ 무조건 배워야 되는 이유! 25가지

16 외로움, 우울함 관리를 더 잘할 수 있게 해 준다.

17 나 너가 아닌 "우리, 함께"라는 마음을 알게 해 준다.

18 자신도 "필요한 존재, 도움이 되는 사람이구나." 느끼게 해 준다.

19 부정적인 비교보다는 긍정적인 비교를 더 하게 해 준다.

20 가진 것이 부족해서 생기는 불만보다는 감사를 더하게 해 준다.

✓ 방탄강사기술력을
무조건 배워야 되는 이유!
25가지

21 | 자격 지심, 콤플렉스, 트라우마, 상처를 관리
할 수 있게 해 준다.

22 | 삶의 의욕을 넘치게 해 준다.

23 | 자신의 가치를 찾게 해 준다.

24 | 불행, 고난, 역경 힘든 시기가 왔을 때 지혜롭
게 이겨낼 수 있게 해 준다.

25 | 인생의 목표를 만들어 주고 인생의 방향을 잡아주
며 인생을 어떻게 살아 가야 하는지 알게 해 준다.

강사 비수기 5개월
목차

강사는 누구나 한다. 다만
강사 비수기 5개월은 아무나 극복하지 못한다.

돈을 버는 강사! 돈을 못 버는 강사!

20,000명 심리 상담, 코칭으로
알게 된 강사 비수기 극복 방법!
세계 최초 오픈!

★ ★ ★ ★
ONLY ONE
방탄강사
기술력

목차

《강사 비수기 5개월 7》

1. 포트폴리오 커리어 강사 리더는 왜! 작가 자기계발을 해야 하는가?

강사 리더는 자신 분야의 전문가다. 짝퉁 전문가는 매뉴얼, 시스템이 머리에만 있어 말로만 한다. 명품 전문가는 매뉴얼, 시스템이 자료화(전문 서적)되어 있다. 강사 리더의 경력은 스펙이 아니다. 강사 리더가 경력을 자료화(책 출간)할 때 강력한 스펙이 된다!

책으로 PPT 만들기 매뉴얼 2-2

🔵 특허청 등록 🔵
최보규 리더동기부여 코칭전문가
등록 번호: 제 40-2128786 호

강사료 200만 원
방탄 리더십
2시간 특강 교안

책을 출간하면 저자 특강을 하거나 <u>출간 한 책으로 강</u><u>의, 교육, 코칭을 해서 수입 창출을</u> 한다. 출간한 책으로 PPT 교육, 강의, 코칭 자료를 만들어서 해야지만 수입이 올라가고 전문성을 인정받는 것은 아니다. 하지만 <u>몸값을 올리는 사람, 삼성(진정성, 전문성, 신뢰성)을 인정받는 사람들은 출간 한 책으로 PPT 교육, 강의, 코칭 자료를 만든다</u>는 것을 명심해야 한다.

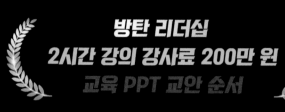

방탄 리더십
2시간 강의 강사료 200만 원
교육 PPT 교안 순서

① 방탄 리더십 라포 형성 기법, 마음을 여는 기법
② 방탄 리더십 고.틀.선.편 깨기
③ 방탄 리더십 서론
④ SPOT 기법, 강의 집중 기법, 강의 환기 기법
⑤ 방탄 리더십 본론
⑥ SPOT 기법, 강의 집중 기법, 강의 환기 기법
⑦ 방탄 리더십 결론
⑧ SPOT 기법, 강의 집중 기법, 강의 환기 기법
⑨ 방탄 리더십 총정리
⑩ 방탄 리더십 피크앤드법칙(The Peak End Rule)

⑦ 방탄 리더십 결론
- 방탄 리더십 교육 PPT 목차 5-1
· [출간 한 《나다운 방탄 리더십》 책 내용]

★ 리더는 보는 것, 말하는 것, 행동하는 것, 생각하는 것, 배우는 것, SNS 사진 한 장 올리는 것, 만나는 사람들...등 일반 사람들과는 달라야 한다.

다음은 리더에게 멘토가 얼마만큼 중요한지 알려주는 스토리텔링이다!

멘토의 중요성(사람 멘토, 책 멘토) -타이로페즈-
타이로페즈는 미국의 사업가이자 강연가로 유명합니다. 그는 한화로 5만 원을 수백억대로 불렸고 그의 TED톡 영상은 수백만 명이 봤습니다. 그런 그가 그 자리에 오를 수 있었던 가장 큰 이유 두 가지를 공유합니다.

멘토가 필요하냐구요? 책을 읽어야 하냐구요?
겁나 많은 의견들이 있어서 뭘 믿어야 할지 모르겠죠? 제가 한마디 하죠. 누군가가 저에게 해준 말인데 사람은 거짓말을 하지만 숫자는 진실을 말한다.

헷갈리면 숫자를 보세요. 내 말을 듣지 말고 남들 말도 듣지 말아 보죠. 그냥 숫자를 검색해봐요. 겁나 쉽습니다. Forbes(미국의 격주간 경제 잡지) 리스트를 봐봐요. 세상 가장 성공한 기업가들 리스트죠. 그 사람들이 멘토가 있었을까요? 책을 읽었을까? 내가 읽어줄게요. 그럼 오마이갓.. 거의 모두가 포함되네요. 내가 존경하는 사람들인데 예로 리스트에 몇 명을 말해볼게요.

빌게이츠 멘토 Ed 로버츠
오프라 윈프리 멘토 메리던킨
스티브잡스 멘토 로버트 프리드랜드
워렌버핏 멘토 벤저민그레이엄
마이클조던 멘토 필잭슨
마크 저커버그 멘토 스티브 잡스
리스트에 모두가 멘토가 있었어요. 누가 누구의 제자였는지요. 작년에 코비 브라이언트랑 같이 앉아서 경기를 봤는데 그와 라커룸에서 대화했어요. 비디오로도 찍었는데 내가 물어봤죠.

"코비, 너 멘토 있었어?" 바로 답하더군요. "타이, 멘토가 가장 중요해." 코비는 많은 부류의 멘토가 있더군요. 마이클 잭슨도 코비에게 조언을 해줬대요. 디즈니의 CEO를 멘토로 만나는 등 각기 다른 멘토들요.

알버트 아인슈타인도 마찬가지예요. 인류 역사상 가장 위대한 천재도 멘토가 있었어요.

십대 때 부터 매주 목요일 멘토의 가족들과 함께 점심을 먹었죠. 대화하며 수학과 물리학을 배웠어요.

당신이 누군진 모르겠지만 저는 아인슈타인보다 똑똑하지 않아요. 만약 그들이 멘토가 필요했다면 저는 더욱 필요하다고 느껴요.

역사를 돌아봐도 마찬가지예요. 위대한 정복자 알렉산더 대왕도 멘토가 있었어요. 15세 때 그의 아버지가 위대한 철학자 아리스토텔레스를 고용해 아들과 같이 여행 해달라고 부탁하죠.

아리스토텔레스는 그렇게 그를 가르쳤어요. 아리스토텔레스의 놀라운 사실은 그는 철학자 플라토의 멘티였어요. 플라토는 소크라테스를 멘토로 두었죠. 연결고리가 보이시나요? 스티브 잡스도 멘토를 두고 있었지만 결국 자신도 누군가의 멘토가 되었죠. 멘토는 조언만 해주는 사람이 아니라 동기부여도 해줍니다. 세계 최고의 기업들이 바로 이렇게 탄생했다구요.

학습의 방법은 단 두 가지에요. 누군가에게 직접 배우던가 누군가가 쓴 책이나 영상으로 배우죠. 그게 다입니다. 한글, 수학 어떻게 배웠어요? 누워서 배워야지 생각만 하니까 배워졌어요?

누군가는 말하겠죠. "타이, 만약 멘토링과 책을 읽는데" "행동을 안 하면 어떻게 돼?" 당연히 행동도 해야죠.
지하 방에 박혀서 책 읽고 유튜브에 동기부여나 멘토 양상만 본다고 되겠어요? 하지만 한 가지 더 열심히만 행동, 일하면서 똑똑하게 일하지 않으면 마찬가지로 얻는 건 별로 없을 겁니다.

예를 들어보면 누가 더 열심히 일할까요? 일용직 노동자와 스티브 잡스 혹은 일론 머스크 중에서요. 물론 일용직 노동자는 꼭 필요해요. 그분들을 욕하는 게 아닙니다. 하지만 성취한 수확물을 보면 열심히 보다 똑똑하게 일하는 게 더 큽니다.

포브스 리스트를 봐요. 최고 부자 리스트 아마존 창업자 제프베조스 아이러니하게도 책 관련 사업으로 시작했죠. 그는 책을 엄청 읽어요. 특히나 그의 샘 월튼의 자서전은 거의 인생에 멘토가 되었고 얼마나 많이 읽었는지 페이지들이 낡았더군요. 제프는 세계 3위 부자예요. 나는 그에게 상대가 안 되죠. 그런데 그가 책과 멘토가 필요하면 나에겐 더 필요한 존재들이죠. 때로는 나도 일을 미뤄요. 그리고는 읽은 책들 자서전들의 조언을 생각하죠. 혹은 직접 만나 들은 조언들요.

일론 머스크가 뭐라고 했는지 알아요?

제가 물었어요. "일론, 어떻게 스페이스X를 창업했어?"

"우주선 분야에는 경험도 없었잖아"

"페이팔 경력밖에 없었을 텐데" 그가 대답하길 "책으로 다 배웠어." "수많은 책을 읽었지." 이렇듯 책은 비대면 멘토에요. 사람은 아니니까요. 하지만 효과는 동일합니다. 그 책의 작가가 멘토가 되는 거예요.

나는 알아요. 모두가 스티브 잡스가 되길 원하지 않겠죠. 아인슈타인처럼 될 필요는 없어요.

제가 하는 말은 그게 아니라 나는 뭘 배우더라도 큰일을 해낸 사람에게 배우고 싶은 거예요.

당신이 정하세요. 누구에게 배우고 싶은지를요.

저의 경우는 꼭대기에 있는 사람들이죠. 그리고 위대한 사람들은 항상 위대한 멘토를 가졌죠.

그리고 그들은 책을 읽어요. 마크 큐반이 제 집에서 해준말이예요. 그는 샤크탱크라는 회사의 CEO이자 억만장자입니다.

제가 묻길 "마크, 너 책 많이 읽어?" 그는 "타이, 너 그거 알아?" "내가 LA 공항에 지금 날 기다리는" "전용기를 산 이유가" 바빠서 못했던 독서를 누구의 방해도 받지 않고 더 하기 위해서야"

마크가 500억 짜리 전용기를 산 이유가 책을 더 읽기 위해서라구요. 워렌버핏도 비행기에 타면 아무도 말을 못 걸게 한대요, 독서하려고.

사람과 다르게 숫자는 거짓말을 안 하니까요. 열심히만 일하지 말고 똑똑하게 일하세요. 도구를 가지고 효율적으로 일하세요.

무엇이 빌 게이츠를 16년 연속 세계 최고 부자로 만들었을까요? 그는 휴가를 독서하러 가고(그는 실제로 가지고 싶은 슈퍼파워로 속독을 말했습니다.)그는 책이 주제인 블로그도 운영하죠.

그의 한마디가 정말 충격적이었는데 말하길 "나는 참 게을러요. 그래서 남들과 달리 머리를 써서 쉬운 방법을 찾죠."

그가 시간을 쓰지 않는다는 게 아니에요. 시간은 무조건적으로 써지는 거죠.

하지만 시간을 쓰는 게 목표가 아니라 적은 시간 동안 많은 일을 끝내는 거죠. 일은 반만 하는데 결과는 두 배를 만드는 게 목표라는 거예요. 그리고 그 방법은 단 한 가지 머리를 써야하는 겁니다.

그게 당신을 위대하게 할 거예요. 그러기 위해 위대한 멘토를 찾고 더 많이 읽는 거죠.

내 말 믿어요. 그리고 틀린지 시도해보세요. 못 믿겠으면 직접 시도해보라니까요.

그리고 결과가 맘에 안 들거나 도움 안 되는 거 같으면 그만두면 되죠.

각자 배우는 방식은 다를 수도 있으니까요. 하지만 열 명 중 아홉의 위대한 사람들은 멘토가 있거나 책에서 멘토를 찾죠. 그러니까 믿져야 본전인 거 확률을 믿고 해보세요. 멘토와 독서는 성공확률을 극대화시켜요. 이게 보증된 건 아니죠.

왜냐하면 행동도 해야 하니까요. 배운 걸 써야 한다는 거예요. 그딴거 필요 없고, 내가 최고야? 라고 한다면 당신 겸손함에 문제가 있는 거예요. 위인들이 필요한데 당신이 필요 없다고? 이인슈타인도 멘토가 필요했고 뉴턴도 자기가 대단한 이유는 대단한 스승들이 있었기에 가능했다는데 흠...근데 당신이 멘토가 필요 없다고? 말 안 해도 미래의 통장잔고가 보이네요.

"정말 쉬운 개념인데 저도 참 어렵게 생각하고 있었습니다. 원하는 것을 얻는 가장 쉽고 빠른 방법은 그걸 가지고 있는 사람에게 물어보는 것입니다.

그리고 그렇게 유명한 사람들을 멘토로 만나는 방법은 독서 혹은 유튜브 영상으로도 볼 수 있죠."

책을 제대로 읽기 전에 저는 책의 가치를 표면적으로만 생각했습니다. "만원, 이만 원이니까." "책들이 얼마나 도움이 되겠어?" 제가 책을 읽어보면서 느낀점은 어떤 책은 정말 십만 원 백만 원을 줘도 꼭 구매했을 법한 책들이 있습니다.

그리고 책의 저자를 나만의 비대면 멘토로 생각한 순간부터 책장을 펴고 읽어나가는 게 너무나 새롭습니다.

많은 사람들이 노력합니다. 하지만 노력만이 중요한 건 아니죠. 서울에서 부산을 간다고 쳤을 때 걸어가면 몇 달이 걸릴 수도 있겠지만 비행기타면 한 시간도 안 걸리죠. 걸어서 간 사람이나 비행기 타고 편하게 간 사람이나 도착지는 같은 곳이고 냉정하게도 세상은 결과를 더 중요시하게 생각하는 경우가 많잖아요. 부정한 방법으로 가라는 게 아닙니다.

비행기 타고 편하게 가세요. 책과 멘토가 바로 당신을 목표로 데려다 줄 베테랑 파일럿이 운전하는 비행기입니다.

<유튜브 터닝포인트.위대한 성공의 시작점>

다음은 다다익선 인간관계가 아닌 효율적인 인간관계가를 왜 해야 하는지를 알게 해주는 메시지이고 어떤 사람을 만나야 하고 어떤 사람과 어울려야 되는지를 알게

해주는 스토리텔링이다.

90만 원으로 50조를 만든 사업가 댄페냐

당신 친구를 보면 당신을 알 수 있죠. "친구들을 보여주세요. 그럼 제가 당신의 미래를 보여드리죠."

누구랑 어울려 다니십니까? 누구랑 놀러 다니십니까? 빌 게이츠는 어울려 다니지 않습니다.

제가 아는 스티브 잡스는 놀러다니지 않습니다. 워렌 버핏은 사람들과 어울려 놀지 않습니다.

일론 머스크도 놀러 다니지 않습니다. 놀러 다니지 않는 사람들의 리스트를 계속 댈 수 있죠.

일론 머스크가 워라밸이 있다고 생각하십니까? 아니죠. 스티브 잡스가 살아생전에 워라밸이 있었을까요? 아니죠. 빌 게이츠는요? 아니죠. 핸리 포드는요? 아닙니다.

즉 세상의 부를 창출해낸 그런 거물들 중 어느 누구도 월라밸을 찾지 않습니다.

왜 당신은 워라밸을 기대하십니까? 왜요? 가질 자격이 있어서요? 전 그렇게 생각하지 않습니다.

이런 사람을 찾으세요. 20년, 30년 후에 당신이 되고 싶은 사람을 말이죠. 그리고 당장 그 사람을 찾아가세요. 월드 클래스 운동선수가 되고 싶다면 어디로 가야 합니까? 월드 클래스 코치에게 가야 하죠. 맞습니까? 의심의 여지가 없습니다.

만약 당신이 자존감을 키우고 싶다면 높은 자존감을 가진 사람을 찾아가야 합니다.

그렇다고 일론 머스크가 당신과 커피를 마셔주진 않겠지만요.

아마 여러분들 모두 들어보신 적 있으신 텐데요. 알콜 중독 회복자 모임, 약물 중독 치료 모임

이런 종류의 치료 모임들을요. 그렇죠? 12단계의 치료 프로그램이 있죠.

"저는 댄이고, 알콜 중독자입니다." 그들은 말하겠죠. "오. 댄 괜찮아요. 좋아요."

그리고 5주가 지나고 당신은 또 찾아옵니다. 또 이렇게 고개를 풀 떨구고 "저는 댄입니다. 다시 돌아가 버리고 말았어요" 그 뜻은 다시 술이나 마약을 했다는 얘깁니다. 그럼 또 사람들이 와서 안아줍니다. 그렇죠? "괜찮아요. 괜찮아요" 맞죠?

빌어먹을 절대 안 통합니다. 하나도 괜찮지 않죠. 다시 돌아가는 꼴을 보고 싶지 않습니다.

그건 절대로 용납될 수 없습니다. 절대로요.

저한테 오지 않으시는 게 좋습니다. 제 말은 왜냐하면 여러분들을 두들겨 패줄 거거든요. 저는 단호합니다.

올림픽 선수들이 말했죠. "선생님은 올림픽 코치만큼 강경하십니다." "제가 금메달을 2개 땄을 때 그 코치만큼

요." 이런 유형의 사람이 당신 인생에 필요한 겁니다. 항상 당신에게 동의해주는 사람이 아니라요.

항상 이렇게 말하는 사람들 "괜찮아. 다시 도전하면 되지!" "겨우 26살밖에 안 됐잖아"

"또 남은 인생을 살 수 있잖아" 전부 헛소리입니다!

지금 여기 있는 분들을 보세요. 30대, 40대 25년 전 누군가가 이 사람들에게 헛소리를 했죠.

지금 주위를 한 번 보세요. 지금 여러분이 앉아있는 빌어먹을 테이블 주위를 보세요. 제기랄!

이보다 더 나은 대안은 없었습니까? 이런 거지 같은 곳에 나오는 것보다요? 금요일에요?

제가 여기를 떠날 때 어느 누구라도 저를 좋게 본다면 저는 실패한 겁니다. 무슨 말인지 이해가 되십니까? 저는 실패한 거라고요. 당신 친구 하려고 여기 있는 것이 아닙니다. 친구가 필요하면 가서 개나 한 마리 사세요. 저는 당신의 불쌍한 엉덩이를 움직이기 위해 여기 있습니다. 무슨 일이 있던 간에 말이죠.

첫인상을 남길 수 있는 기회는 단 한 번뿐입니다. 첫인상은 바로 당신 외모입니다.

저는 지금 제 모습이 어떤지 알고 있죠. 여러분도 제 모습을 보고 계실 겁니다.

은행에서 돈을 빌리고 싶다면 마치 국가의 대통령처럼

옷을 입으세요.

국가의 대통령처럼, 총리처럼 옷을 입으세요. 첫인상을 남길 수 있는 기회는 한 번 뿐입니다. 여러분!

지금 여러분 옷차림으로 저한테 왔다면 전 빌어먹을 화장실 휴지 한 장도 줄 생각이 없습니다.

여러분 대부분이 입고 있는 옷은 창피한 수준입니다.

두 번째 인상은 바로 당신이 입을 열 때입니다.

여러분 대부분은 외람된 말씀이지만 말도 제대로 하지 못합니다.

더듬거리고, 중얼거리고, 긴장하고 계속 지적 할 수 있습니다. 지금 이 방에 있는 여러분들을 말하는 겁니다.

당신의 손자와 자녀들에게 무슨 말을 하실 건가요? 20년 후에 말이죠. 가장 큰 부의 변화가 일어났던 시대에 "할아버지께서는 뭘 하고 계셨나요?"

"아버지는 뭘 하고 계셨나요?" "그냥 손가락만 빨고 계셨나요?" 그들에게 뭐라고 말해줄 건가요? 그냥 손가락 빨면서 멍하니 있었다고요?

여러분들의 자녀들이 여러분의 가장 친한 두 명의 친구처럼 되길 원하시나요?

그렇습니까? 아마 아니시겠죠. 당신의 자녀들이 당신처럼 됐으면 하시나요? 아마 아니겠죠. 그런데 왜 아무것도 안 하고 앉아있습니까? 인생에서 원하는 것을 얻을 자격은 열심히 할 때 생기는 것입니다.
<유튜브 필미필미TV>

리더 코칭 전문가 자질을 끌어올리기 위해서 어떤 행동을 해야 하고 어떤 사람과 어울려야 하는가?
어떤 분야라도 전문가라면 자질이 중요하다. 전문가의 자질을 끊임없이 끌어올리기 위해서 힘써야 하고 배워야 한다. 리더 코칭 전문가는 리더를 코칭 하는 사람이기에 그 어떤 리더들보다 리더십이 있어야 한다. 자질을 높이기 위해서는 보는 것, 말하는 것, 행동하는 것, 생각하는 것, 배우는 것, 만나는 사람들...등 일반 사람들과는 달라야 한다.
필자의 7G(출판사 대표, 작가, 심리 상담사, 코칭 전문가, 강사, 유튜버, 한집의 가장)직업 중에 강사직업이 있다. 대한민국 최초 강사 백과사전(나다운 강사1) 강사 사용 설명서(나다운 강사2)를 창시한 강사 양성 전문가 자격으로 한마디 하겠다.

리더는 강사가 되어야 한다. 그래서 리더십을 강사 직업으로 비유를 하겠다. 강의 분야가 1,000개가 넘는다. 강사 직업이 어떤 직업인가? 많은 사람들을 변화, 성장, 배움, 가르침, 동기부여, 의미부여, 터닝포인트...등 삶의 질을 올려주고 자신 분야를 좀 더 나은 방법으로 방향 제시 해주며 행복한 인생으로 살 수 있는 내비게이션 역할을 하는 직업이다.

20,000명 심리 상담, 코칭 하면서 알게 된 것은 "일할 때만 강사이지 일상생활 속에서는 한 사람이기에 프리하게 일반 사람들처럼 행동한다." 이 말이 틀린 말은 아니다. 하지만 많은 사람들 앞에서 말하는 직업을 가지고 있는 사람들이라면 공인이라는 마음으로 글, 사진 하나도 신경 써서 업로드 해야 한다.

말과 행동이 사람들에게 선한 영향력을 끼칠 수 있고 부정의 영향력도 끼칠 수 있는 공인이라는 직업이다. 지금 시대는 SNS로 사람을 어느 정도 판단 할 수 있는 정보를 습득한다. SNS를 하더라도 리더라면, 각 분야 코칭 전문가라면, 강사라면, 교육자라면, 전문직에 있는 사람이라면... 일반 사람들과 똑같이 자신의 일상 사진을 업로드하고 공인이라는 직업에 맞지 않는 말과 행동하는 이미지들을 업로드하면 안 되는 것이다.

예를 들어 술 먹고 노는 사진, 사치스러운 사진, 비방하는 사진, 비난하는 글, 놀러 다니는 사진, 화가 난 글, 감정 조절 못 하는 글, 우울하다는 사진...등 교육자로서 자신을 컨트롤 못하고 자랑하고 사치스러운 사진들을 올리면서 교육할 때는 "변화해라? 마인트컨트롤을 해라? 자기계발을 해라? 이렇게 살면 되겠냐? 이렇게 해라?" 교육자 자신의 생활 속에서는 솔선수범을 하지 않고 일할 때랑 사생활 차이가 너무 많이 나게 되면 교육자, 리더로서의 자질이 안 되는 것이다.

SNS에 일상 사진을 올리지 말라고 말하는 게 아니다. SNS는 자신의 제2의 자아다. 나를 대신하기에 실제와 차이가 너무 나면 쇼윈도 인생을 사는 것이다. 리더, 코칭 전문가, 교육자라면 자신 SNS를 통해 하나라도 배우고, 동기부여가 될 수 있는 글, 사진, 영상들로 도움을 주기 위해 힘쓰는 게 교육자의 의무인 것이다.

리더의 의무, 코칭 전문가의 의무, 교육자의 의무를 꾸준히 지켜나갈 때 사람의 내공, 가치, 값어치가 올라가는 것이다.

리더 코칭 전문가 자질은 사소한 것부터 시작되는 것이다. 대중들 앞에서는 말만 잘하고 일상생활 속에서는 일반 사람들처럼 똑같이 말과 행동한다면 진정성, 전문성, 신뢰성이 쌓이겠는가? 이런 사람들도 있을 수 있다. "대중 앞에서는 카리스마가 넘쳤는데 일상생활 속에서는 털털하니 좋네요." 이런 말을 들어도 되는 분야는 연예인 직업이다.

리더, 강사, 전문 분야를 교육 하는 사람들은 연예인이 아니라 공인이다. 연예인처럼 SNS을 하면 안 된다. 리더, 강사, 전문 분야가 있고 교육을 하는 직업을 가진 사람들이라면 자신이 말한 만큼 일상생활 속에서도 모범이 되어야 한다는 것이다.

교육을 하는 직업을 가지고 있는 사람들이라면 SNS를 하더라도 사람들에게 도움이 되고 가르치지 않고 가르칠 수 있는 글, 이미지, 영상, 표현을 해야 한다는 것이다. 일상생활 속에서도 솔선수범이 자연스럽게 나와야만 교육을 할 때도 삼성(진정성, 전문성, 신뢰성)이 나오는 것이다. 교육할 때는 말만 잘하고 일상생활 속에서는 교육자가 더 못한다면 삼성(진정성, 전문성, 신뢰성)이 나오겠는가?
그래서 리더 코칭 전문가외 교육 쪽에 종사하는 사람들은 보는 것, 말하는 것, 배우는 것, 행동하는 것, SNS 하는 것, 만나는 사람들을 신경 써서 해야 한다. 그러기 위해서는 끊임없이 리더십 학습, 연습, 훈련을 해야 한다.

리더십 학습, 연습, 훈련이 안 되어 있는 사람들은 이런 말을 많이 듣게 된다.
"이 리더, 코칭 전문가, 교육자(강사, 교수, 선생님)는 SNS 하는 게 보통 사람과 같네? 보고 배울 게 없네?

이런 사람이 리더야? 코칭 전문가야? 교육자야? 자신도 하지 않으면서 교육할 때만 잘하라고 하네? 그런 교육이면 나도 교육하겠다."

반대로 리더십 학습, 연습, 훈련이 잘되어 있는 사람들은 이런 말을 많이 듣게 된다.

"이 리더, 코칭 전문가, 교육자(강사, 교수, 선생님)는 SNS도 도움이 되는 자료, 정보들을 올리네. 말한 대로 생활 속에서 솔선수범하네. 역시 다르다."

당신은 어떤 리더, 코칭 전문가, 교육자가 되고 싶은가?

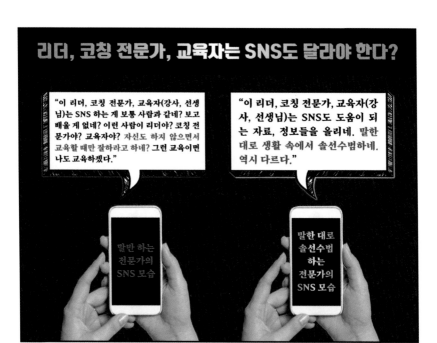

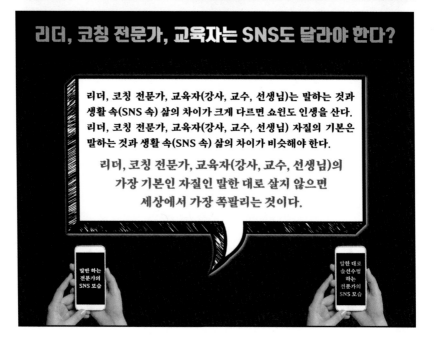

20,000명 심리 상담, 코칭으로 알게 된 사람들이 바라는 6가지 시스템!

1
커피숍에서 지인과 대화 중에도 돈이 입금되는 시스템?

2
자고 있는데 돈을 버는 시스템?

3
여행 중에도 돈이 입금되는 시스템?

4
사무실, 직원이 필요 없는 시스템?

5
건물주처럼 월세가 입금되는 시스템?

6
집에서 댕댕이와 휴식하고 있는데 돈이 입금되는 시스템?

출판계의 혁신!
돈이 들어오는 6가지 시스템을
가능하게 하는 것이

방탄book기술력!

· [출간 한《나다운 방탄 리더십》책 내용을 방탄 동기부여 교육 PPT로 디자인]

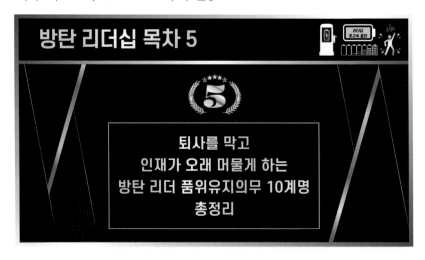

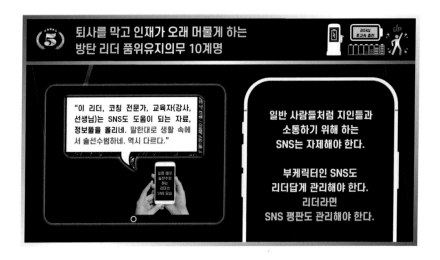

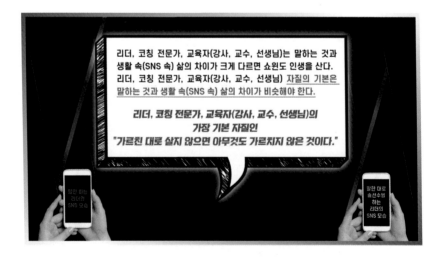

평균 희망 은퇴 73세, 현실 은퇴 나이 49세!
100세 시대 언제까지 몸(노동)으로만
일해서 돈을 벌 것인가?

세상, 현실 기준에서 스펙, 돈, 인맥, 자산 등이
없어서 100세까지 노동을 해야 되고 몸까지 아
프면 더 답이 없는 상황! 젊을 때는 100가지 중
99가지를 할 수 있지만 나이 들면 100가지 중
99가지를 할 수 없다. 3고 시대, AI 시대, 챗
GPT 시대에 자신의 직업이 사라 질 수 있는 상황
에서 어떻게 준비, 대비할 것인가?

 방탄BOOK기술력
선택이 아닌 필수!

ONLY ONE

방탄
BOOK
기술력

· [출간 한《나다운 방탄 리더십》책 내용]

★ 코칭 전문가는 크랩 멘탈리티를 극복하는 자정작용 멘탈리티가 되어야 하고 되어 줘야 한다!

다음은 자신 인생을 지옥으로 끌어당기는 크랩 멘탈리티를 극복하기 위한 스토리텔링이다.

게를 잡는 어부들은 보통 작은 게들을 한 바구니에 몰아넣고 굳이 뚜껑을 덮지 않는다. 혹시라도 게들이 바구니 밖으로 도망치지는 않을까? 놀랍게도 단 한 마리의 게조차 탈출하지 못하는 것을 확인할 수 있었다. 게 한 마리가 그곳에서 나가려고 하면 다른 게들이 그 게를 계속 안으로 끌어들였기 때문이다. 그러한 모습에서 착안, 심리학자들은 남이 잘되는 모습을 못 보는 심리를 '크랩 멘탈리티'라고 이름 붙였다.

우리는 살면서 수많은 '게 같은 사람들'을 만난다. 자신이 아니면 아무도 안 된다고 여기는 이기적인 사람들 말이다. 그러한 사람들 앞에서는 우리는 과연 어떤 결정을 해야 할까? 물론 주변에 그런 사람들이 있다고 해도 흔들리지 않고 버틴다면야 괜찮겠지만 그래도 버티기만 할 수는 없는 일이다.

그런 사람들을 대하는 가장 올바른 방법은 그 모든 부정적인 말과 시선을 차단하고 곧바로 그곳을 벗어나는 일이다. 나의 도전과 성공을 아니꼽게 보고 해보기도 전부터 부정적인 의견을 내는 사람들은 피해야 한다.

그보다는 나와 닮은 사람들, 나의 크고 작은 성공과 도전들을 기꺼이 축하해주고 박수 쳐 주는 사람들을 만나 긍정적인 시너지를 만들어가는 것이 훨씬 경제적이며 훨씬 더 나를 위한 일이다. 주변에 당신을 끌어내리려고 하는 사람이 있는가? 사소한 것에 질투하고 열등감에

사로잡힌 사람이 있는가? 이제는 당신을 위해 그런 사람들로부터 멀어져야 할 순간이다.

<열정에 기름 붓기>

멘탈리티 (mentality)
정신이나 의식이 놓인 상태 또는 생각하고 궁리하는 방법이나 태도. (사고방식, 심리 상태)

<국어사전>

자연치유 자정작용(연잎효과)
인당수에 빠진 심청이를 보듬은 꽃 아시죠...?
바로 연꽃인데요. 혹시 연꽃효과라고 들어보셨나요? 식물이 자신의 생명을 위협하는 그을음이나 먼지, 균 같은 것을 스스로 씻어내는 작용을 해서 연꽃 효과라고 합니다. 1982년 독일 본 대학교의 식물학자 빌헬름 바르트로트 교수팀이 알아낸 연잎의 자연적인 자정 및 방수기능. 연잎 표면의 미세한 나노구조 때문에 물방울이 떨어졌을 때 스며들듯 화가 퍼지지 않고 구슬 모양으로 뭉쳐져서 이리저리 잎이 움직일 때마다 마치 수은처럼 굴러다니면서 연잎 표면의 먼지를 쓸어준다고 합니다.

특히 연꽃이나 토란같이 잎이 커서 더러움을 타기 쉬운 식물에서 연꽃 효과가 활발하다고 하는데요.
그렇게 안 하면 작은 먼지 같은 것이 쌓이고 쌓여서 숨도 못 쉬게 되기 때문에 한 방울이 물을 가지고도 열심히 청소를 한데요. 그야말로 "살려고" 스스로를 치유하는 것이지요.

생각해보면 우리 인간에게도 그런 능력 있잖아요. 예를 들면 조용한 곳에서 혼자 시간을 갖고 나서, 아침 산책 후에 친구랑 신나게 수다 떨고 나서, 노래방에서 고래고래 소리 지르고 나서, 아니면 슬픈 영화를 보면서 실컷 울어버리고 난 뒤에, 이런 연꽃 효과 같은 일이 일어나기도 하는데요. 얼룩이 생기면 지울 수 있는 능력이 어떨 때는 그것을 역이용해서 훌훌 털고 일어날 수 있는 능력. 그런 힘은 바로 우리의 마음에서 나오는 거겠죠...? "마음먹기에 달렸다."는 말은 괜히 나온 말이 아닌 것 같아요.

<네이버 블로그 네오애플>

자정 작용 (自淨作用)
오염된 물이나 땅 따위가 저절로 깨끗해지는 작용.

<국어사전>

리더 코칭 전문가의 목표, 신념, 가치, 방향은 자정작용 멘탈리티[주위 사람들이나 자신을 스스로 케어 해줄 수 있는 태도(사고방식)를 가지고 있는 사람]을 양성, 코칭하는 것이다.

대한민국 5,200만 명이다. 그중에 크랩 멘탈리티가 몇 명이나 될까? 자정작용 멘탈리티가 몇 명이나 될까? 20,000명 심리 상담, 코칭하면서 알게 된 것은 크랩 멘탈리티가 20%, 크랩 멘탈리티에게 당하는 사람 70%, 자정작용 멘탈리티 10%다. 인재 1명이 10만 명을 먹여 살리듯 리더 코칭 전문가(자정작용 멘탈리티)1명이 10만 명을 케어 할 수 있다. 일반 코칭 전문가 양성, 코칭으로는 안 된다는 것이다. 개나 소나 닭이나 아무나 리더 코칭 전문가가 될 수 없는 것이다.

한 분야 전문성으로 힘든 시대다. 이제는 포트폴리오 커리어 시대다. (포트폴리오 커리어: 한 분야 전문성 외 다수에 전문성이 있는 사람) 자신 경력을 왜 썩히고 있는가! 자신 경력을 활용해서 6가지 수입을 발생시킬 수 있는 방탄book기술력! 언제까지 몸(노동)으로 일할 것인가? 자신 경력이 일하게 하자! 자신 콘텐츠가 일하게 하자! 시스템이 일하게 하자!

★ ★ ★ ★ ★
직장은 자신 인생을 책임져 주지 않지만
방탄book기술력은 자신 인생을 책임져 준다.
직장은 자신을 배신하지만
방탄book기술력은 자신을 배신하지 않는다.

ONLY ONE

방탄
BOOK
기술력

- 방탄 리더십 교안 PPT 목차 5-2

· [출간 한《나다운 방탄 리더십》책 내용을 방탄 동기부여 교육 PPT로 디자인]

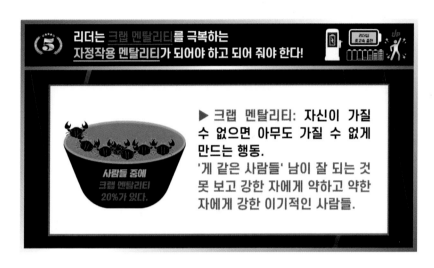

⑤ 리더는 크랩 멘탈리티를 극복하는
자정작용 멘탈리티가 되어야 하고 되어 줘야 한다!

▶ 크랩 멘탈리티: 자신이 가질 수 없으면 아무도 가질 수 없게 만드는 행동.
'게 같은 사람들' 남이 잘 되는 것 못 보고 강한 자에게 약하고 약한 자에게 강한 이기적인 사람들.

사람들 중에 크랩 멘탈리티 20%가 있다.

⑤ 리더는 크랩 멘탈리티를 극복하는
자정작용 멘탈리티가 되어야 하고 되어 줘야 한다!

자정작용 멘탈리티
스토리텔링

자연치유 자정작용(연잎효과)

인당수에 빠진
심청이를 보듬은 꽃이 연꽃

식물이 자신의 생명을 위협하는
그을음이나 먼지, 균 같은 것을
스스로 씻어내는 작용을 연꽃 효과

1982년 독일 본 대학교의
식물학자 빌헬름 바르트로트
교수팀이 알아낸
연잎의 자연적인
자정 및 방수 기능.

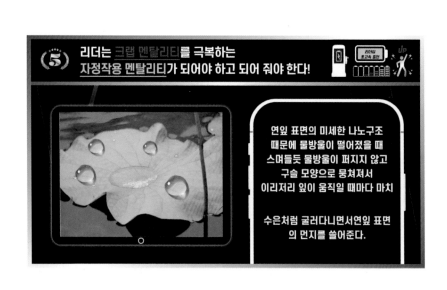

연잎 표면의 미세한 나노구조
때문에 물방울이 떨어졌을 때
스며들듯 물방울이 퍼지지 않고
구슬 모양으로 뭉쳐져서
이리저리 잎이 움직일 때마다 마치

수은처럼 굴러다니면서 연잎 표면
의 먼지를 쓸어준다.

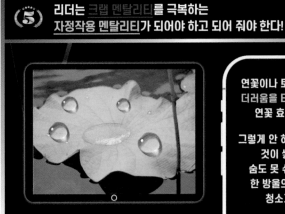

연꽃이나 토란같이 잎이 커서
더러움을 타기 쉬운 식물에서
연꽃 효과가 활발하다.

그렇게 안 하면 작은 먼지 같은
것이 쌓이고 쌓여서
숨도 못 쉬게 되기 때문에
한 방울의 물을 가지고도
청소가 가능하다.

⑤ 리더는 크랩 멘탈리티를 극복하는
자정작용 멘탈리티가 되어야 하고 되어 줘야 한다!

"살려고" 스스로를
치유하는 것이고
스스로 케어한다.

리더는 크랩 멘탈리티를 극복하는
자정작용 멘탈리티가 되어야 하고 되어 줘야 한다!

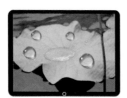

▶자정작용(연꽃 효과) 멘탈리티:
식물이 자신의 생명을 위협하는 그을음이나 먼지, 균 같은 것을 스스로 씻어내는 작용.
주위 사람들이나 자신을 스스로 케어해 줄 수 있는 태도(사고방식)를 가지고 있는 사람.

리더는 자정작용 멘탈리티가 되어 자신, 가족, 조직체 원들을
크랩 멘탈리티로 부터 보호하자!

대한민국 5,200만 명 중
크랩 멘탈리티 20%(1,000만 명)
"크랩 멘탈리티에게 당하는 사람 70%"

크랩 멘탈리티

대한민국 5,200만 명 중
자정작용 멘탈리티 1%

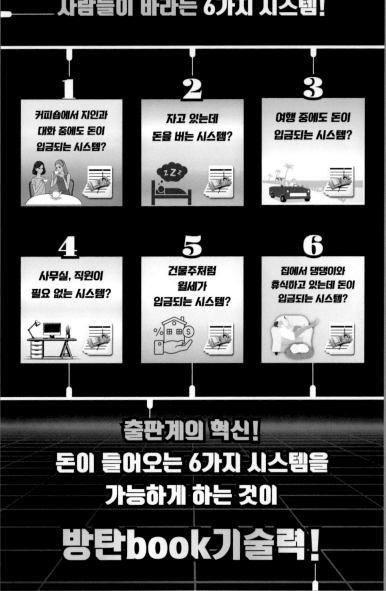

· [출간 한《나다운 방탄 리더십》책 내용]

방탄 리더 품위유지의무 10계명

1. 꾸준한 학습 (상담사의 전문적인 지식 이외에도 사람들이 평균적으로 물어보는 상담 스킬 학습)

2. 솔선수범 (공인이라는 마음)

3. 정신건강운동 (직원들의 부정을 긍정으로 밀어내기 위한 노력)

4. 측은지심 갖기 (안쓰러운 마음 안타까운 마음)

5. 답을 주는 방탄리더가 되지 않기 (중간자 입장에서)

6. 경청 (눈 , 입 , 코 , 몸 , 귀 , 마음, 삶의 자세)

7. 진인사대천명 (7:3 최선을 다해서 상담하고 나머지 상황은 하늘이 한다는 마음)

8. 방탄리더 자신 삶 속으로 가져오지 않기

9. 코칭 내용 보완 유지

10. 나의 1%는 누군가에게 살아가는 100%가 될 수 있다.

1. 꾸준한 학습
(상담사의 전문적인 지식 이외에도 사람들이 평균적으로 물어보는 상담 스킬 학습)

- 가르치지 않고 가르치는 리더 코칭 전문가

20,000명 심리 상담, 코칭 하면서도 알게 된 사람의 심리는 가르친다는 생각이 들면 받아들이지 않는 심리가 있다. 특히 대한민국 남자들은 자신 보다 나이가 적거나, 여자가 말을 하면 잘 듣지 않고 받아들이지 않는 심리가 생겨 건성으로 듣는다. 강사 초보 시절 30대 초반이 었다. 강의 의뢰가 들어오면 교육담당자들이 늘 하는

말이 있다. "강사님은 안 그러시겠지만 학습자들이 연령층이 높아서 가르치는 강의 하지 않게 주의 좀 부탁합니다. 젊은 강사들이 대부분 학습자 연령층을 생각하지 않고 늘 가르치는 강의를 많이 하다 보니 학습자들이 늘 하는 말이 '젊은 사람이 가르치려고 하네! 알면 얼마나 안다고' 이런 말이 많이 나와 강의 후기가 좋지 않아서 교육 담당자까지 욕을 먹는다."라는 말을 자주 한다. 가르치는 직업이 인정되는 학교 교수, 선생님 직업 외에는 가르치는 스피치를 될 수 있으면 덜 느끼게 해야 한다.

최고의 가르침은 가르치지 않고 가르치는 것이다. 코칭 전문가, 리더, 교육자, 앞에서 말하는 직업을 가지고 있는 모든 직종을 가지고 있는 사람들은 가르치지 않고 가르치지 위해서는 끊임없이 자신 분야 학습, 연습, 훈련으로 자신, 자신 분야 자부심을 만들어야 한다.

다음은 자신 분야에서 자부심을 어떻게 만들어 가는지 알게 해주는 스토리텔링이다.

남들이 부러워해야 자신의 직업적 자부심이 채워질 거라고 생각하는 사람들이 많다. 하지만 직업적 자부심과 남들이 부러워하는 직장에 다니는 것은 사뭇 다르다.

이 둘은 서로 다른 개념이다. 국내 굴지의 대기업인 삼성이나 엘지에 다닌다고 하면 많은 사람이 부러워한다. 그런 시선을 받으며 으쓱해지기 마련이고 직업적 자부심이 샘솟는 느낌이 들것이다.

실제로 사람들의 그런 시선을 받고자 대기업이나 번듯한 간판이 달린 회사 취업에 목을 매는 경우가 많다.

하지만 짚고 넘어가야 할 부분이 있다.

여기서 으쓱해지는 이 느낌, 이것이 과연 직업적 자부심일까? 여기서 얻고 싶었던 것은 자신이 하는 일을 통한 자부심이 아니라 남들이 부러워하는 시선이 아닐까?

어디에 있든 내가 하는 일을 잘 처리할 능력이 나에게 있고, 그 일을 통해 나와 가족을 돌보고 좀 더 나은 사람으로 성장하고 있다는 뿌듯함이 없다면 그러한 행위는 남을 의식한 겉치레에 불과하다. 당신이 현실적으로 더 나은 직장을 갖기 위해 노력하는 것은 온당하고 바람직하다. 그러나 그 기준이 남의 시선이 되어서는 곤란하다. 마찬가지로 내가 어디에서 무슨 일을 하든 나의 직업적 자부심이 남의 시선과 대우에 좌우될 수는 없는 일이다.

어느 날 딸아이의 새 계좌를 만들려고 증권회사를 방문했는데 단순 예금통장밖에 써본 적이 없는 우리 아이는 직원의 말을 이해하지 못해 성가신 질문을 계속했다. 옆에서 보니 그 직원은 아이의 금융 지식에 맞추어 성실

하게 설명하고 있었다.

은행을 나오며 딸아이는 내게 이렇게 말했다.

방금 그 언니, 참 멋져 보여. 아주 전문적이면서 친절해.

그래? 넌 저런 정적인 직업에는 전혀 흥미 없잖아. 그 언니가 유난히 미인이었나?

예쁜 건 그 옆에 있는 언니였어. 하지만 그 예쁜 언니는 내가 상사였다면 해고했을지도 몰라. 손님이랑 상담하면서도 몰래몰래 책상 아래 거울에 얼굴을 비춰보던걸? 자기 직업에 자부심이라곤 없어 보여. 나랑 상담한 언니는 친절하면서 뭐랄까, 이 세상 누구에게도 꿀리지 않는다는 자신감 같은 거, 자기 일에 대한 유능하고 성실한 느낌? 아무튼 오늘 하나 알았어. 뭘 하던 자기 일에 대한 자부심이 있을 때 무척 멋있어 보인다는 거.

맞아, 자부심이 있는 사람은 뭘 하고 있어도 빛이 나.

십 대 아이의 눈으로도 금방 가려낼 수 있는 것이 자부심이다. 똑같은 자리에 나란히 앉아 있어도 한 사람에게는 없지만, 다른 한 사람의 머리 위에는 반짝반짝 후광처럼 빛나는 그것이 직업적 자부심이다.

《대한민국에서 감정노동자로 살아남는 법》

비전 있는 일, 남들이 인정해주는 일, 돈을 많이 버는 일을 해야만 자부심이 생기는 것이 아니다. 세상, 현실, 주위 사람들이 인정해주는 직업이 아닐지라도 자신, 자신 분야, 하고 있는 일에 온 정성을 다할 때 눈빛, 표정, 말투, 행동에서 자부심이 나온다. 자부심이 나오면 가르치지 않고도 가르칠 수 있는 내공이 나오는 것이다.

가르치지 않고 가르치기 위해서는 코칭 전문가의 사람 심리, 가치, 내공, 목표, 방향, 신념, 자자자자멘습긍(자존감, 자신감, 자기관리, 자기계발, 멘탈, 습관, 긍정)을 그 누구보다 잘해야만 말, 표정, 행동에서 존경심이 나와 가르치지 않고 가르치게 되는 것이다.

가르친다고 느끼면 대부분 사람들이 이런 말을 한다. "저 사람은 말하는 것이 삼성(진정성, 전문성, 신뢰성)이 느껴지지도 않고 말만 잘 하는 것 같아. 자자자자멘습긍이 느껴지지 않아 나도 당신만큼은 하겠다. 너나 잘 하세요."

가르치지 않고 가르친다고 느끼면 대부분 사람들이 이런 말을 한다. "저 사람은 삼성(진정성, 전문성, 신뢰성)이 느껴진다. 말, 표정, 행동에서 열정, 자신감, '함께 잘 되고 잘 살자' 태도를 느낄 수 있어서 대단함을 넘어서 존경심이 나온다."

가르치지 않고 가르치기 위해서는 어마어마한 내공이 있어야 한다. 코칭 전문가는 내공을 쌓기 위한 학습, 연습, 훈련을 일반 사람들과 다르게 해야 한다.

다음은 가르치지 않고 가르치는 것이 무엇인지 깨닫게 해주는 스토리텔링이다.

1979년 무렵의 일이다. 대단한 미식가로 알려진 호암 (湖巖) 이병철 삼성그룹 회장은 일본 최고의 맛집을 훤히 꿰고 있었다. 일본에서 식사를 하는 와중에 '이거다' 싶은 맛을 찾아내면 자신이 운영하던 신라호텔 임원과 조리부장을 일본 현지로 파견해 맛의 비결을 전수받아 오도록 했다. 그 덕에 당시 30대 신라호텔 조리부장으로 주가를 날리던 젊은 요리사 이병환은 도쿄 오쿠라 호텔의 일식당을 비롯해 일본 최고의 우동집, 메밀국수집, 복집에서 당대 최고의 요리사로부터 수십 차례에 걸쳐 비법을 전수받았다.

그 무렵 이병환은 네 차례나 일본 연수를 가서 일본 요리사들로부터 초밥용 밥을 짓는 방법에서부터 생선 써는 방법 등을 상세히 배워 온 터라 "초밥에 관한 한 내가 한국 최고"라는 긍지와 자부심이 하늘을 찌를 정도였다. 호암이 여느 때처럼 삼성의 주요 경영자들과 함께 신라호텔 일식당에 나타났다. 이병환은 '오늘이야말로 일본에서 배워 온 실력을 토대로 제대로 된 초밥을 선보여야지' 하고 벼르며 초밥을 요리했다. 접시에 먹음직

스럽게 놓인 초밥을 음미하던 호암이 입을 열었다.

"이 군, 그래 일본 가서 좋은 공부 마이(많이) 했나?"
"예, 회장님 덕분에 이것저것 다 배우고 돌아왔습니다."
그러자 호암이 물었다. "그런데 이 군, 초밥 한 점에 밥알이 몇 개고?"

순간 이병환의 등골에서 식은땀이 주르르 흘렀다. 당황한 이병환은 "일본 최고의 요리사들로부터 초밥 한 점에 들어가는 생선의 무게 15g, 밥의 무게는 15g, 합쳐서 30g이라고는 배웠지만 밥알은 미처 헤아리지 못했습니다."라고 답하고는 그 자리에서 초밥 한 점을 풀어 밥알을 헤아렸다. "초밥 한 점에 밥알이 320개"라고 답하자 호암이 말했다.

"내 이 군에게 한 수 알려 주지. 점심에는 식사용으로 초밥을 먹으니까 한 점에 320알이 맞고, 저녁에는 술을 곁들여 안주로 많이 먹으니까 280알이 적당하다."
이 말에 이병환은 "회장님, 더 배우겠습니다" 하고 고개를 꺾었다. 식사를 마친 호암이 이렇게 말했다.

"배움의 길에는 끝이 없다. 이 군, 이 말을 명심하거라."
<톱클래스 http://topclass.chosun.com>

겸손과 통찰력을 느낄 수 있는 스토리텔링이다.

초밥에 가장 기본이 무엇인가? 밥이다. 각 분야의 밥이라는 기본을 무시한 채 '리더, 코칭 전문가'라고 말을 하는 사람들이 많다. 자신 분야 본질을 모르고 하는 리더들이 많다는 것이다. 그 어떤 일이든 본질, 기본이 제대로 되어 있을 때 겸손함이 나오는 것이다. 본질, 기본의 부모는 겸손이다.

앞에서도 언급했듯이 리더에게 금지어인 "이 정도면 됐다."라는 태도가 있으면 안 된다. "이 정도면 됐다."라는 말을 하는 순간 모든 것이 멈춘다. 멈춘다는 것은 변질, 도태를 뜻한다. 자신 분야에 멈춰 있는 사람이 아닌 어제보다 0.1% 꾸준한 성장이 있어야만 리더의 겸손함을 높이는 것이고 통찰력을 키워준다.

이병철회장이 이병환 셰프보다 초밥 요리를 잘하고, 초밥 요리에 대한 지식들이 더 많지는 않았을 것이다. 그런데 어떻게 초밥 요리 전문가도 모르는 것을 질문 할 수 있었을까? 그것은 통찰력이 높기 때문이다. 자신(이병철 회장)의 시행착오, 대가 지불, 인고의 시간을 통한 본질, 기본이 쌓여 내공(통찰력)이 있었기 때문이다. 통찰력은 남들이 보지 못하는 것을 볼 수 있게 한다.

다음은 통찰력이 있어야만 직접적인 경험이 아니더라도 간접적인 경험으로도 방향 제시를 해줄 수 있다는 것을 깨닫게 해주는 메시지다.

근데 스님은 결혼 안 해보셨잖아요! 결혼 부분에서는 저희보다 한참 아래이신데 결혼생활도 안 해보시고 이혼도 안 해보셨잖아요! 근데 어떻게 결혼 생활, 부부 생활 부분에서 말씀을 잘하시는지요?

스님: 의사가 병에 걸려봐야 고치는 건 아니잖아요.

<SBS 신발벗고 돌싱포맨>

직접적인 경험이 아니어도 자신 분야 시행착오, 대가 지불, 인고의 시간의 경험을 통해 내공(통찰력)이 쌓이면 간접적인 경험으로도 방향 제시를 해줄 수가 있고 간접적인 경험으로도 지혜가 생기는 것이다.

필자가 20,000명 심리, 상담 코칭 하면서 알게 된 것은 꾸준한 상담 학습을 하면서 주제 무관 모든 상담을 하다 보니 사람들의 평균적인 애로사항들(평균적인 데이터)이 비슷하다는 것을 알게 되었다. 상담 분야 시행착오, 대가 지불, 인고의 시간의 경험을 통해 내공(통찰력)이 쌓이면 직접적인 경험이 아니더라도 간접적인 경험으로도 방향 제시를 해줄 수 있다는 것이다.

그래서 의사 자신이 직접적으로 병에 걸리지 않아도 치료를 하고 처방을 해줄 수 있는 것이 자신 분야 의학 전문 내공(통찰력)이 있기 때문에 가능하고 결혼, 이혼, 부부생활을 해보지 않은 스님 또한 방향제시를 해줄 수 있다는 것이다.

스님 중에서도 인지도가 있는 법륜스님이 운영하시는 유튜브<법륜스님 즉문즉설> 채널에서 불특정 다수의 사람들이 질문하는 것에 대답을 해줄 수 있는 것 또한 개인적인 학습과 간접적인(상담) 경험 누적이 되어 스님으로서 경험할 수 없는 결혼, 이혼, 부부, 연애, 돈... 등 질문에 방향 제시를 해줄 수 있는 것이다.

한마디로 코칭 전문가는 많은 경험을 통해 방향 제시를 해주면 좋겠지만 한계가 있기에 간접적인 수많은 경험을 통해서 내공(통찰력)을 쌓아야 한다는 것이다.

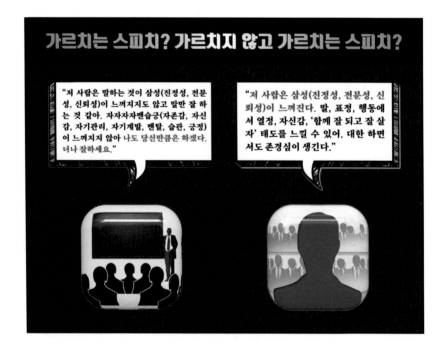

- 자신 생각을 바꾸는 데는 책 1톤이 필요하고 상대방 생각을 바꾸는 데는 책 2톤이 필요하다!

다음은 리더가 상대방을 변화시키기 위해 가장 먼저 해야 할 것이 무엇인지 깨닫게 해주는 스토리텔링이다.

스포츠계 격언 중에 '스타플레이어 출신은 명감독이 될 수 없다'라는 말이 있다. 선수 시절의 성과와 명성에 비해 감독으로서 기대에 못 미쳤던 사례가 많았던 것을 두고 하는 말이다.

물론 최근에는 스타플레이어 출신이면서도 선수 시절 못지않은 성과와 명성을 나타내는 감독들의 사례가 점차 늘어나는 추세지만, 여전히 많은 사람들에게는 '스타플레이어 출신은 감독으로 성공하기 어렵다'라는 인식이 자리 잡고 있는 것도 사실이다. "아니 이 플레이가 왜 안 되지?" 많은 이들은 스타플레이어 출신의 지도자가 성공하기 힘든 이유를 '자신의 성공 경험을 근거로 선수들의 플레이를 바라보고 그 결과를 이해할 수 없기' 때문이라고 한다. 즉, 선수들을 공감하지 못한다는 것이다. 그러나 필자는 스타플레이어 출신의 감독들이 성공하지 못하는 이유가 '공감 능력의 결여'보다 '감독 역할에 대한 명확한 인식과 충분한 준비 없이' 리더로 선임되었기 때문이라고 생각한다. 선수 시절에는 자신에게 주어진 역할만 수행하면 되었지만, 감독은 선수 개개인과 팀 전체를 모두 바라보고 그들이 성공을 거둘 수 있도록 노력해야 하는 완전히 다른 성격의 역할이기 때문이다. 그럼에도 불구하고 여전히 스포츠 현장에서는 스타플레이어 출신의 성공을 막연하게 기대하면서 쉽게 감독 역할을 맡기는 경우도 빈번하게 일어나고 있다.

그래서 스포츠계 일각에서는 이러한 시행착오를 줄이기 위해 스타플레이어 출신의 지도자를 바로 감독의 포지션에 올려놓기보다 다양한 현장 경험을 쌓게 한 후 감독으로 선임하는 움직임도 나타나고 있다.

많은 기업과 조직에서도 리더를 선임할 때, 후보자의 과거 성공 경험만을 근거로 역할을 부여하는 사례들을 쉽게 볼 수 있다. 물론 과거의 성공 경험은 리더로 성장하는 과정에서 중요한 역할을 해줄 것이다. 하지만 실무자와 리더는 완전히 다른 차원의 영역이다. 성공한 실무자가 리더로서도 성공할 것이라고 막연하게 기대하는 것은 마치 '잭팟이 터지길 기대하며 나의 전 재산을 베팅하는 위험한 도박'과도 같다.

리더 후보자가 다양한 학습과 경험을 통해 실무자로서 성공했듯이, 성공하는 리더로 성장하기 위해서도 충분한 학습과 경험이 필요하다. 리더가 갖춰야 할 폭넓은 시각과 리더십은 하루아침에 생겨나지 않는다. 우리 조직에 역량 있는 리더들이 많아지길 원한다면 '누구에게 리더를 맡길까?'라고 고민하기 이전에 '성공하는 리더가 되게 하려면 어떤 학습과 경험을 제공할 것인가?'에 대해 진지하게 고민하고 실천하는 것이 무엇보다 우선되는 과제라고 생각한다.

<브론치 라운드에 지혜, 구선생>

2002년 한일 월드컵이 끝나고 이영표 선수의 인터뷰 중 한 장면이다. "우리나라가 세계 4강이라는 놀라운 성적을 거두었습니다. 계속 좋은 성적을 유지하려면 어떤 선수가 필요할까요?" 아나운서의 질문을 받은 이영표 선수는 잠시 머뭇거리더니 이렇게 답했다. "우리나라에는 좋은 선수가 아니라 좋은 선수를 길러내는 코치가 더 필요합니다." 축구를 잘하는 것과 축구를 잘하도록 가르치는 것은 다르다는 말이다.

《강의력》

자신의 생각을 바꾸는 데는 책 1톤이 필요하고 리더 코칭 전문가는 의뢰자, 가족, 아내, 남편, 자녀, 직원, 조직체원...등 생각을 바꿔주기 위해서는 책 2톤의 내공이 있어야 한다. 책 1권 평균 500g(평균 250페이지)이다. 1,000권이면 500kg, 2,000권이면 1톤이다. 책 1,000권을 읽으면 자신의 가치관이 바뀌고 책 2,000권을 읽으면 상대방을 바꿀 수 있다는 것이다. 그만큼 리더 코칭 전문가는 상대방을 바꿀 수 있는 내공이 있어야만 하는 것이다. 20,000명 심리 상담, 코칭 하면서 뼈저리게 느끼는 것이 있다. 사람이 30년을 살면 바뀌지 않는 가치관이 생기고 60년을 살면 신도 바꿀 수 없는 가치관이 형성된다는 것을 알게 되었다. 하나 더 추가를 하면 한 분야 20년 이상 경력이 있는 사람은 100년의 경력을 갖고 있는 경력자도 바꿀 수 없는 가치관이 생긴다.

그래서 리더 코칭 전문가는 자신 분야를 학습, 연습, 훈련하는 것은 당연한 것이고 불특정 다수의 사람들, 상황들 코칭을 하기 위해서는 평균적으로 사람들이 걱정, 고민들을 학습, 연습, 훈련을 꾸준히 해야 한다.

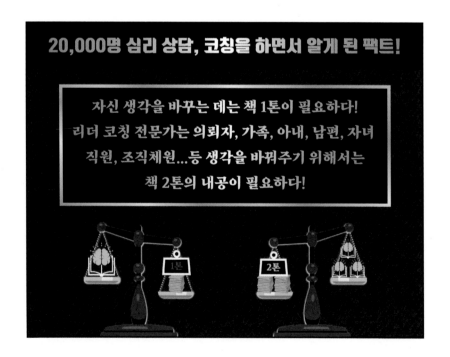

첫 번째는 알고 있다는 느낌은 있지만 남들에게 설명을 못 하는 지식이 있다. "그게 먼데? 설명해 봐!" "아는데 그런 게 있어"

두 번째는 알고 있다는 느낌에서 끝나는 것이 아니라 설명을 할 수 있는 지식이다. "그게 먼데? 설명해 봐!" "그것은 이렇게, 저렇게 설명을 할 수가 있지" 더 나아가 설명을 뒷받침 해 줄 수 있는 자신 분야 전문 서적이 있다면 리더 코칭 기법의 정점을 찍는 것이다.

세 번째는 설명할 수 있는 내용을 매뉴얼, 시스템을 만들어 설명한 것을 증명할 수 있는 전문 서적을 출간하는 것이다. 코칭 기법의 정점은 책 쓰기, 책 출간이다. 설명할 수 있는 것을 글을 쓰고 정리를 해서 책을 출간한다면 출간한 분야만큼은 세계에서 최고라고 자부심을 가질 수 있는 것이다. 그래서 필자가 자신 전문 분야의 삼성(진정성, 전문성, 신뢰성)을 높이는 최고의 방법이 책 쓰기, 책 출간이라고 말을 자신 있게 하는 것이다.

필자는 7G(출판사 대표, 작가, 심리 상담사, 코칭 전문가, 강사, 유튜버, 한집의 가장)직업 중 강사 15년 동안 하면서 20,000명 상담, 코칭, 2,000권 독서, 습관 320가지를 만들었던 내공이 쌓여 5년 동안(2019년~2023년)까지 100권 전문 서적을 출간 할 수 있었다.

- 방탄 리더십 교안 PPT 목차 5-3
· [출간 한 《나다운 방탄 리더십》 책 내용을 방탄 동기부여 교육 PPT로 디자인]

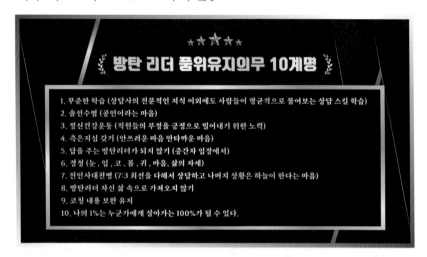

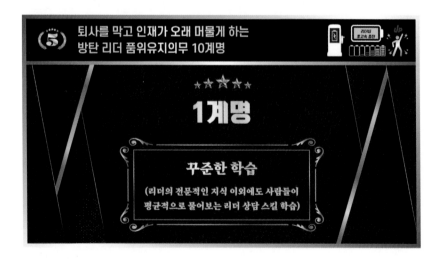

· [출간 한《나다운 방탄 리더십》책 내용]

2. 솔선수범(공인이라는 마음)

 - 리더, 코칭 전문가, 교육자(강사, 교수, 선생님)는 품위유지의무가 있어야 한다.

리더, 코칭 전문가, 교육자(강사, 교수, 선생님), 말하는 직업을 가지고 있는 사람들, 리더십코칭전문가 자격증을 취득하면 리더 코칭 전문가 위치에 맞는 품위유지의무를 가져야 한다.

연예인 품위유지의무: 계약을 할 때 품위유지의무 조항을 넣는다고 합니다. 연예인 품위유지의무 회사의 모델로서 지금과 같은 품위, 명예, 사회적인 명성을 유지하기로 약속하는 것.

만약 계약 기간에 광고의 적합한 긍정적인 이미지를 유지하지 못해서 광고 모델로서의 경제적 가치를 잃어버리는 경우. 쉽게 말해서 부정적인 이미지로 광고주에게 손해를 입힌 경우에는 광고모델이 광고주에게 손해배상을 해야 한다.

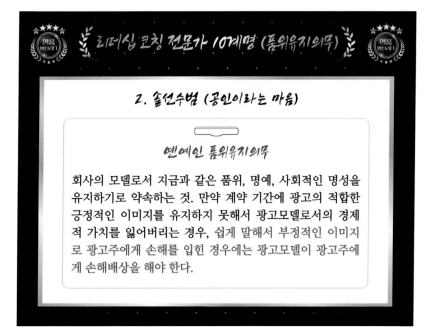

리더십 코칭 전문가 10계명 (품위유지의무)

2. 솔선수범 (공인이라는 마음)

연예인 품위유지의무

회사의 모델로서 지금과 같은 품위, 명예, 사회적인 명성을 유지하기로 약속하는 것. 만약 계약 기간에 광고의 적합한 긍정적인 이미지를 유지하지 못해서 광고모델로서의 경제적 가치를 잃어버리는 경우, 쉽게 말해서 부정적인 이미지로 광고주에게 손해를 입힌 경우에는 광고모델이 광고주에게 손해배상을 해야 한다.

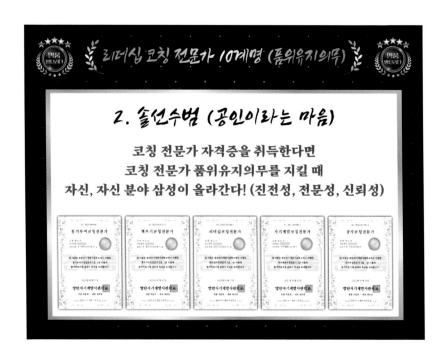

리더십코칭전문가는 국가등록 민간 자격증이다. 민간 자격증은 누구나 취득할 수 있다. 문턱이 낮다. 누구나 취득하지만 아무나 리더십코칭전문가 10계명을 실천하지 않는다.

리더십코칭전문가 자격증을 취득한다는 의미가 누군가는 스펙 하나 추가하기 위해서 취득한다. 누군가는 자신 분야에 도움이 될 것 같아서 취득한다. 누군가는 자기계발에 도움이 될 것 같아서 가벼운 마음으로 취득을 한다. 민간 자격증은 가벼운 마음으로 취득하는 경우가 대부분이다.

국가자격증은 아니지만 리더십코칭전문가 타이틀을 어떤 의미부여, 동기부여를 하냐에 따라서 그 타이틀 가치가 달라진다. 연예인 품위유지의무처럼 리더십코칭전문가 자격증을 취득한다면 그 누구도 잘못 된 행동에 대해 따지지 않겠지만, 그 누구도 감시하지 않겠지만, 위약금을 10배 배상하지는 않지만 스스로가 리더십코칭전문가에 의무를 지킨다는 태도를 가져야만 리더십코칭전문가 자격증에 가치가 만들어져서 자신, 자신 분야 삼성(진정성, 전문성, 신뢰성)이 나오는 것이다.

누구나 전문가가 되고 싶어 한다. 대부분 사람들 심리는 자신 분야 몇 년만 하면 준전문가라는 자부심이 생긴다. 한 분야 전문가라면 준 공인이라는 마음가짐으로 사람들에게 선한 영향력을 끼치기 위해 생활 속에서 솔선수범을 보여 줘야 한다.

리더십코칭전문가 품위유지의무를 스스로가 지키기 위해서 솔선수범했을 때 자신 분야 삼성(진정성, 전문성, 신뢰성)이 높아진다.

리더십코칭전문가 품위유지의무는 사소한 것일 수도 있다. 이런 생각을 하는 분들도 있을 것이다. "민간 자격증인데 그렇게까지 해야 하나? 뭐 그리 대단 하다고?"

자신 분야 전문가, 자신 분야 프로는 그렇게까지 해야 하나? 라는 마음이 들 때 "그렇게까지 하지 않으면 안 된다."라는 정신으로 더 하는 사람이다.

자신 분야 삼성(진정성, 전문성, 신뢰성)은 사소한 것부터 시작된다.

– 삼성(진정성, 전문성, 신뢰성)을 강조했던 세계 스타 손흥민 선수 아버지인 손웅정 감독

삼성(진정성, 전문성, 신뢰성)이 중요하다고 알려 주는 사람이 있다. 지구에서 이 사람을 모르면 지구인이 아니

란 말이 있다. 월드 클래스, 월드 스타 손흥민 선수다.

손흥민 선수가 월드 스타가 되기까지 손흥민 선수의 삼성(진정성, 전문성, 신뢰성)을 중요시했던 손흥민 선수의 아버지인 손웅정 감독의 특별한 코칭이 있었다.

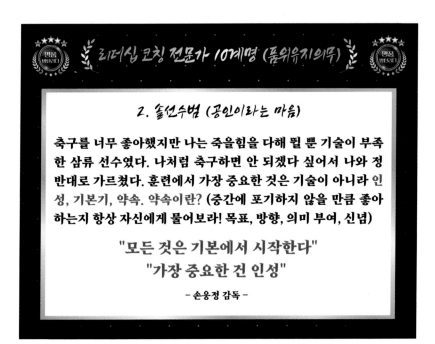

손웅정 감독이 강조했던 3가지 인성, 기본기, 약속(자신 믿음)이 자신 분야 삼성인 진정성, 전문성, 신뢰성이다.

최보규 리더 코칭 전문가가 그렇게 강조! 강조! 또 강조! 했던 삼성! (진정성, 전문성, 신뢰성)

자신 분야 삼성의 첫 번째는 진정성! (인성)

진정성은 인성에서 나온다. 사람의 도리를 지키며 인간 관계를 소중하게 생각하는 태도다.

자신 분야 삼성의 두 번째는 전문성! (기본)

전문성은 기본기가 없으면 절대로 나오지 않는다. 기본기가 기초가 되어, 뿌리가 되어, 초석이 되어 전문성이 나오는 것이다.

자신 분야 삼성의 세 번째는 신뢰성! (자신 믿음)

신뢰성은 자신을 먼저 믿고 자신이 하는 일을 믿어야만 나오는 것이다. 목표, 방향, 의미 부여에서 나온다. 신뢰성은 자신과의 약속에서 나온다.

"인생에 후불은 없다. 어제 값을 치른 대가를 오늘 받고 내일 받을 대가를 위해서 오늘 먼저 값을 치른다. 내 인생에서 공짜로 얻은 것은 하나도 없다"라며 "드리블, 슈팅, 컨디션 유지, 부상 방지 등 모두 죽어라 노력해 얻은 결과다" "축구 실력보다 겸손이 먼저다."

- 손흥민 선수 -

누구나 인성(진정성), 기본기(전문성), 자신 믿음(신뢰성)이 있다. 하지만 아무나 인성, 기본기, 자신 믿음 학습,

연습, 훈련은 하지 않는다. 인성(진정성), 기본기(전문성), 자신 믿음(신뢰성)은 스펙이다. 자신 분야 3가지 스펙을 높이는 유일한 곳은?

www.방탄자기계발사관학교.com

다음은 2022년 카타르 월드컵 포르투갈을 2대1로 이겨 16강 올라가는데 결정적인 어시스트를 했던 손흥민 선수의 인성을 알 수 있는 스토리다.

월드컵 전 안와골절로 안면 마스크를 착용하고 월드컵 경기를 뛰게 되었다. 한 기자가 손흥민 선수에게 물었다. "마스크 불편하지 않나요?" 그 말에 손흥민 선수는 "전 국민 지난 3년간 참고 착용한 마스크에 비하면 아무것도 아닙니다."라는 말을 했다.

인성은 보이지 않지만 보이게 만드는 말이었다. "말을 이쁘게 한다."라고 넘어갈 수도 있지만 리더, 코칭 전문가, 교육자(강사, 교수, 선생님)라면 "전 국민이 지난 3년간 참고 착용한 마스크에 비하면 아무것도 아닙니다." 이 말속에 의미인 삼성(진정성, 전문성, 신뢰성)을 느낄 수 있어야 한다.

리더, 코칭 전문가는 한 상황을 보더라도 "자신이 하고 있는 일을 어떤 태도, 신념으로 하기에 저런 말을 할 수 있을까?"라는 긍정, 변화, 성장에 의문을 가지는 습관이 있어야 한다.

삼성(진정성, 전문성, 신뢰성)은 "혼자 잘 살자" 이기적인 마음이 아닌 "함께 잘 되고 잘 살자" 우리, 함께라는 마음이 있어야만 적을 만들지 않고 오랫동안 함께 할 수 있는 사람들을 만든다.

대한민국 국가 등록 민간 자격증이 45,305개다.
민간 자격증을 등록한 기관은 11,858개다.

10,000개가 넘는 기간 중에서 자격증 품위유지의무 교육을 하는 기관은 방탄자기계발사관학교뿐이다.

인재 1명이 10만 명을 먹여 살리고 명품 리더 코칭 전문가(품위유지의무) 1명이 10만 명을 변화시킨다.

· [출간 한《나다운 방탄 리더십》책 내용을 방탄 동기부여 교육 PPT로 디자인]

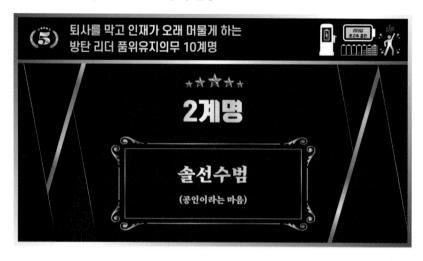

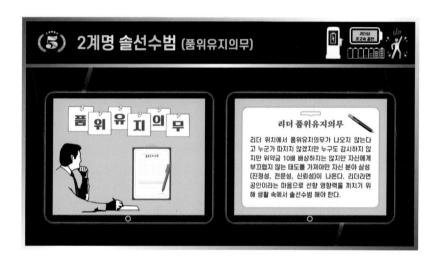

· [출간 한《나다운 방탄 리더십》책 내용]

3. 정신건강 운동 (코칭 받는 사람의 부정을 긍정으로 밀어내기 위한 노력)

- 바닷가재에게 배우는 정신건강 운동!

바닷가재의 껍데기는 자라지 않는다. 그렇다면 바닷가재는 어떻게 성장할까? 바닷가재는 자랄수록 껍데기가 그들을 조여 온다. 그들은 압박을 받고, 불편한 상황에 놓이게 된다. 그러면 그들은 포식자들로부터 안전한 바위 밑으로 들어간 후 자신의 껍질을 버리고, 새로운 껍질을 만든다. 그런데 결국 이들이 또 자라면, 새 껍데기도 불편해진다. 그러면 다시 바위 밑으로 들어가고, 이 과정을 셀 수 없이 반복한다. 바닷가재가 자랄 수 있도록 자극을 주는 것은 불편함을 느끼는 것이다.

만약 바닷가재에게 의사가 있었다면 그들은 성장할 수 없었을 것이다. 왜냐면 불편함을 느끼자마자 의사에게 달려가 처방을 받고 기분이 좋아질 거니까.

그러면 자신의 껍데기를 절대 버리지 않을 것이다.

여기서 우리가 깨달아야 할 요점은 당신이 스트레스를 받을 때 그것은 당신이 성장할 때가 됐음을 의미한다.

그 역경을 잘 이용한다면 우리는 그것을 통해 성장할 수 있다.

<정신과 박사 아브라함 트워스키> <유튜브 포크포크>

바닷가재가 성장하기 위해서는 포식자들에게 위험을 감수하고 조여 오는 껍데기를 버리고 새로운 껍데기로 업데이트하듯 코칭 전문가는 코칭 의뢰자들의 부정적인 감정들(스트레스)을 극복함으로써 코칭 전문가 의 정신 건강을 좌우하는 멘탈, 자존감을 단단하게 할 수 있는 것이다. 20,000명 심리 상담, 코칭을 하면서 사람들이 가장 많이 스트레스 받는 것이 인간관계라는 것을 알게

되었다. 리더와 직원 관계 스트레스, 부부관계 스트레스, 부모와 자녀 관계 스트레스...등 세계 인구 80억 명이면 80억 가지의 스트레스가 있을 것이다.

앞에서 말했던 "스트레스를 받을 때 그것은 자신이 성장할 때가 됐음을 의미한다."라는 말이 머리로는 이해가 된다. 그렇다면 어떻게 하면 스트레스를 받을 때 "지금 스트레스를 받는 것은 멘탈, 자존감이 낮아서 멘탈, 자존감을 변화, 업데이트, 성장해야 할 신호, 기회가 온 거야!"라고 생각하면 될까? 그 답은 필자가 20,000명 심리 상담, 코칭을 하면서 겪은 스토리로 대신하겠다.

- 상담 스토리

의뢰자: 심리 상담 전문가님! 사람은 고난, 역경, 불행을 피할 수는 없다고 들었습니다. 사람은 누구나 100년 인생에서 고난, 역경, 불행 할당량이 있다고 하는데 고난, 역경, 불행이 왔을 때 한 번에 해결 할 수 있는, 한 번에 긍정적으로 받아들일 수 있는 공식, 방법, 메시지, 말이 없는지요? 한마디로 한 번에 극복 할 수 있는 공식이 없는지요?

전문가: 의뢰자님! 한 번에 극복할 수 있는 공식을 나중에 알게 되면 저도 좀 알려 주세요! 한 번에 극복은 안 되지만 극복할 수 있는 방법은 있습니다. 그것은 고난,

역경, 불행은 언제 올지 모르기에 아무 일도 없을 때, 평상시에 양치질하는 것처럼 자자자자멘습긍(자존감, 자신감, 자기관리, 자기계발, 멘탈, 습관, 긍정)학습, 연습, 훈련을 꾸준히 할 때 고난, 역경, 불행이 닥쳤을 때 지혜롭게 극복할 수가 있습니다. 양치질은 이가 썩을 때 하면 늦습니다. 양치질은 이가 썩기 전에 예방하기 위해서 의무적으로 하루에 3번 하듯 고난, 역경, 불행은 인생 마지막 날까지 할당량이 있어 계속 오기에 의무적으로 자자자자멘습긍 학습, 연습, 훈련을 꾸준히 하고 있어야만 고난, 역경, 불행이 왔을 때 극복 할 수 있는 지혜가 생기는 것입니다. 왜 자자자자멘습긍 일까요? 정신을 단련하는 가장 기본적인 것이 자자자자멘습긍입니다.

자자자자멘습긍 학습, 연습, 훈련을 어떻게 해야 하는지 궁금하다면 필자가 하고 있는 자자자자멘습긍 학습, 연습, 훈련하는 습관 320가지 방법을 참고하길 바란다.

♥ 최보규 방탄리더코칭 전문가의 자자자자멘습긍 학습, 연습, 훈련하는 습관 320가지 방법!

스트레스를 받을 때 "나에게 변화, 업데이트, 성장해야 할 신호, 기회가 온 거야!"라는 태도를 가지려면 어떻게 해야 하는가에 답은 아무 일도 없을 때, 평상시에 꾸준히 자자자자멘습긍 학습, 연습, 훈련을 했을 때 스트레스 받은 상황 속에서 배움, 변화, 성장을 생각 할 수 있는 것이다. 정신건강의 7가지 기둥 자자자자멘습긍 학습, 연습, 훈련이 답이다.

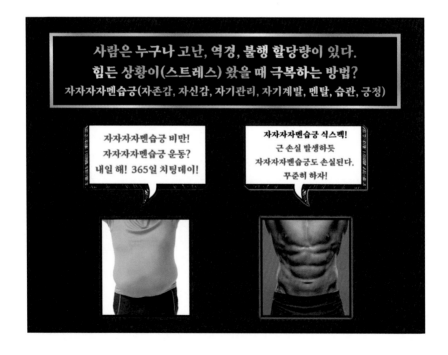

다음은 자신, 자신 분야를 빛나게 하기 위해서 어떻게 다듬어야 하는지 깨닫게 해주는 스토리텔링이다.

미국 서부 캘리포니아 북서부에 위치한 포트 브래그에는 마치 유리처럼 반짝이는 돌들이 가득한 신비한 해변이 있는데 '글래스 비치'라 부른다. 이곳에 있는 유리처럼 보이는 돌들은 실제 '진짜 유리'다. 글래스 비치는 원래 지역민들의 쓰레기 매립지였는데 생활 쓰레기, 가전제품, 심지어 자동차까지 버렸다. 늘어나는 쓰레기를 줄이기 위해 쓰레기를 태워보기도 했지만 줄어들지 않았고, 결국 주 정부는 1967년 지역 주민들의 동의 하에 지역을 봉쇄하고 쓰레기를 제거하는 등 오염된 해변을 정화하기 위한 노력을 기울였다. 하지만 조그만 병 조각 같은 유리들은 너무 많고 작은데다 위험해서 다 처리하기 힘들었다. 결국 모든 쓰레기를 다 치우지 못한 채 브래그 해변은 무기한 폐쇄되고 사람들의 기억 속에서 잊혀졌다. 약 50여 년이 흐른 지금, 쓰레기에 불과했던 유리 조각들이 파도와 바람에 둥글게 마모되면서 보석처럼 빛나는 아름다운 해변으로 변해 있었다. 유리가 만들어낸 아름답고 이색적인 해변을 보기 위해 전 세계에서 관광객들이 이곳을 찾는다. 글래스 비치는 이전의 더러운 쓰레기 해변에서 '세계에서 가장 아름다운 해변'으로 유명한 관광명소가 된 것이다. 하지만 많은 사람들이 무분별하게 유리를 수집해 가면서 글래스 비치의 원래 이름을 잃어가고 있다. 일부 관광객들 때문에 유리를 가져가는 것을 금지시켰음에도 불구하고 계속해서 유리를 집어가는 사람들로 인해 글래스 비치는 점차 사라져가고 있다. 이로 인해 지역주민들은 이곳이 다시 황폐화되는 것을 가장 우려하고 있다.

<Weekly Goodnews>

시간의 흐름 속에서 유리병 조각들이 파도라는 도구로 인해 다듬어졌듯이 리더, 코칭 전문가, 교육자들은 스스로 정신을 다듬기 위해서는 검증된 전문가를 통해 다듬어야 한다. 전문가 없이 스스로 정신을 다듬고 싶다면 앞에서 언급했던 필자의 정신 다듬는 도구 습관 320가지를 참고 하자. 다이아몬드는 다이아몬드로 다듬는다. 리더, 코칭 전문가, 교육자(강사, 교수, 선생님), 말하는 직업을 가지고 있는 사람들은 스스로가 다이아몬드로 다듬어져 있어야 다이아몬드 인재를 양성할 수 있는 것이다. 리더 자신의 단단한 강도가 철의 강도 밖에 안 되는데 세상에서 가장 단단한 다이아몬드 인재를 만들 수 있겠는가? 어떤 도구로 자신을 다듬을 것인가? 독서? 유튜브? 교육? 강의? 코칭? 멘토? sns? 친구? 지인들?...리더십코칭전문가라는 다이아몬드가 되기 위해서는

리더 자존감 도구, 리더 멘탈 도구, 리더 습관 도구, 리더 자기계발 도구로 다듬을 수 있다는 것이다. 사람은 마지막 그날까지 자신, 자신 분야를 다듬어야 한다. 그래서 150년 다듬을 수 있는 도구가 항상 곁에 있는 게 중요하다. 앞에서도 계속 언급했던 150년 a/s, 피드백, 관리를 왜 말했는지 이해가 되는가?

리더를 다듬는 세계 최고의 도구는 최보규 방탄리더코칭 전문가의 코칭으로 150년 a/s, 피드백, 관리로 다듬어야 한다. 리더십코칭전문가는 정신건강을 위해 평상시 스스로 멘탈, 자존감을 셀프케어 하고 자신의 모난 부분을 다듬기 위한 학습, 연습, 훈련을 꾸준히 해야 한다.

· [출간 한《나다운 방탄 리더십》책 내용을 방탄 동기부여 교육 PPT로 디자인]

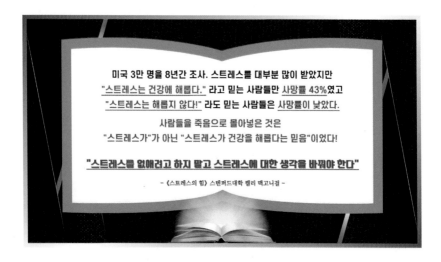

리더는 자신 정신건강을 위해
하루가 멀다 하고 부정의 감정으로
리더 자존감, 멘탈 배터리를 방전시키는
세상, 현실, SNS, 직원
거래처, 주위 사람들... 등으로부터
보호하기 위해 정신건강 운동을
꾸준히 해야 한다.

정신건강 관리?

어떻게 하면
정신건강 운동을
할 수 있을까?

정신건강 운동하는 방법?
숙면? 운동? 식단 조절? 심호흡?
명상?...등 뻔한 방법들...

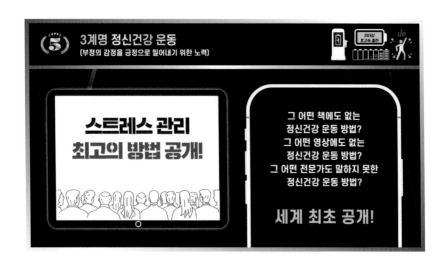

1. 전신 장기기증
2. 유서 써놓기
3. 꿈 목표 설정
4. 영양제 챙기기
5. 꿀 챙기기
6. 계단 이용
7. 8시간 숙면
8. 취침 4시간 전 안 먹기
9. 기상 후, 자기 전
   스트레칭 10분
10. 술, 담배 안 하기
11. 하루 운동 30분
12. 밀가루 기름진 음식
   줄이기
13. 자극적인 음식 줄이기

14. 얼굴 눈 스트레칭
15. 박장대소 하루 2회
16. 기상 직후 양치질
   물먹기
17. 물 7잔 마시기
18. 밥 먹는 중 물 조금만
19. 국물 줄이기
20. 밥 먹고 30후 커피
   마시기
21. 기상 직후 책 듣기
22. 한 달 책 15권 보기
23. 책 메모하기
24. 메모 ppt 만들기
25. SNS 캡처 자료수집
26. 강의 자료 항상 찾기

27. 좋은 글 점심때 보내기
28. 사랑의 전화 봉사
29. 주말 유치원 봉사
30. 지인 상담봉사
31. 강의 재능기부
32. 사랑의 전화 후원
33. 강의자료 주기
34. TV 줄이기
35. 부정적인 뉴스 줄이기
36. 솔선수범하기
37. 지인들 선물 챙기기
38. 한 달 한번 등산
39. 몸에 무리 가는 행동
   안 하기
40. 하루 감사 기도 마무리

41. 탄산음료, 과일주스 줄이기
42. 아침 유산균 챙기기
43. 고자세
44. 스마트폰 소독 2번
45. 게임 안 하기
46. SNS 도움 되는 것 공유
47. 전단지 받기
48. 긍정, 멘탈 사용설명서 도구
   스티커 나눠주기
49. 학습자 선물 주기
50. 강의 피드백 해주기
51. 자일리톨 원석 먹기 하루 3개
52. 찬물 줄이고 물 미온수 먹기
53. 소금물 가글
54. 알람 듣고 바로 일어나기

55. 오전 10시 이후 커피 먹기
56. 믹스커피 안 먹기
57. 강의 족보 주기
58. 강의 동영상 주기
59. 강의 녹음파일 주기
60. 블로그 좋은 글 나누기
61. 인스턴트 음식 줄이기
62. 아이스크림 줄이기
63. 빨리 걷기
64. 배워서 남 주자 실천(PPT)
65. 읽어서 남 주자 실천(책 속의 글)
66. 오른손으로 차 문 열기
67. 오손도손 오손 왼손 캠페인
   전파하기
68. 운전 중 스마트폰 안 보기

69. 취침 전 30분 독서
70. 취침 전 30분 스마트폰 안 보기
71. 오늘이 마지막인 것처럼 섬기고
   영원히 살 것처럼 배우기
72. 자존심 신발장에 넣어 두고 나오기
73. 내가 받은 상처는 모래에 새기고
   내가 받은 은혜는 대리석에 새기기
74. 어제의 나와 비교하기
75. 어제 보다 0.1% 성장하기
76. 세상에서 가장 중요한 스펙?
   건강, 태도 실천하기
77. 나방이 되지 않기
78. 마라톤 10주 프로그램 시작
79. 마라톤 5km 도전
80. 마라톤 10km 도전

81. 마라톤 하프 도전
82. 마라톤 풀코스 도전
83. 자기 전 5분 명상
84. 뱃살 스트레칭 3분
85. 아침 동기부여 사진 보내기 8시
86. 저녁 동기부여 사진 보내기 9시
87. 나의 1%는 누군가에게는
   100%가 될 수 있다. 실천
88. 150세까지 지금 몸매, 몸 상태
   유지 관리
89. 아침 달걀 먹기
90. 운동 후 달걀 먹기
91. 헬스장 등록
92. 오래 살기 위해서가 아니라 옳게
   살기 위해 노력하는 사람이 되자
93. 남들이 하는 거 안 하기
   남들이 안 하는 거 하기

최보규 방탄리더십 전문가의 정신건강 운동(스트레스 관리) 습관 320가지 (2008년 ~ 진행 중)

94. 아침 결명자차 마시기
95. 저녁 결명자차 마시기
96. 폼롤러 스트레칭
97. 어제보다 나은 내가 되자
98. 남들이 안 하는 강의 분야 도전
99. 플랭크 운동
100. 스쿼터 운동
101. 계산할 때 양손으로 주고받고 인사
102. 명함 거울 선물 주기
103. 40살 되기 전 책 출간
104. 반 100년 되기 전 책 5권 집필하기
105. 유튜브[나다운TV] 감사심폐소생술
106. 유튜브[나다운TV] 나다운심폐소생술
107. 아.원.때.시.후.성.실 말 줄이기
108. 나다운 강사 책 유튜브 올려 함께 잘 되기
109. 리플렛으로 동기부여 시켜주기

110. 아침 8시 동기부여 메시지 만들어 보내기
111. 저녁 9시 동기부여 메시지 만들어 보내기
112. 어플 책 속의 한 줄에 책 내용 올리기
113. 책 내용 SNS 오픈
114. 3번째 책 원고 작업 시작
115. 4번째 책 자료수집
116. 뱃살관리 스트레칭 아침, 저녁 5분
117. 3번째 책 기획출판계약
118. 최보규강사사관학교 시작
119. 최보규강사사관학교 지회 원장 임명
120. 올 노올바른 노력)공식 오픈
121. 행복, 방탄멘탈 공식 자자자자멘습금 오픈
122. 생화 네 일 클로버 선물 주기
123. 세바시를 통해 극단적인선택 예방 전파!
124. 세바시를 통해 자자자자멘습금 사용설명서 전파!
125. 4번째 책 원고 시작 2021년 1월 출간 목표!
126. 전염성이 강한 상황 왔을 때 대처하기 위한 준비!
127. 코로나19 극복을 위한 공적 마스크 독고 어르신들 주기!

최보규 방탄리더십 전문가의 정신건강 운동(스트레스 관리) 습관 320가지 (2008년 ~ 진행 중)

128. 아내를 위해 앉아서 소변보기
129. 들어라 하지 말고 듣게 하자
130. 좋은 사람이 되지 말고 좋은 사람 되어주자.
131. 좋아하게 하지 말고 좋아지게 하자
132. 보여주는(인기)인생을 사는 것보다 보여지는 (인정)인생을 살아가자.
133. 나 이런 사람이야 말하지 않아도 이런 사람이구나 느끼게 하자.
134. 마음을 얻으려 하지 말고 마음을 열게 하자.
135. 믿으라 하지 말고 믿게 하자
136. 나에 행복 0순위는 아내의 행복이다! 일어나서 자기 전까지 모든 것 아내에게 집중!
137. 아내 말을 잘 듣자 하는 일이 잘 된다!
138. 아버지가 어머니에게 이렇게 대했으면 하는 남편이 되겠습니다. 매형들이 누나들에게 이렇게 대했으면 하는 남편이 되겠습니다.
139. 내 몸은 아내거다. 빌려 쓰는 거다! 담배, 술, 몸에 무리가 가는 모든 것 자제 하고 건강관리, 자기관리 하겠습니다.
140. 아내의 은혜를 보답하기 위해 머리, 가슴, 몸, 돈으로 실천하겠습니다!

141. 아내에게 받은 사랑(내조) 보답하기 위해 머리, 가슴, 몸, 돈으로 실천하겠습니다.
142. 아내를 몸, 마음, 돈으로 평생 웃게 해서 호강시켜주겠습니다.
143. 아내를 존경하겠습니다. 세상에 아내 같은 여자 없습니다.
144. 아내 빼고는 모든 여자는 공룡이다! 정신으로 살겠습니다.
145. 많은 사람들에게 인정받는 남편이 아닌 아내에게 인정받는 남편이 되기 위해 먼저 맞추는 남편이 되겠습니다.
146. 아내에게 무조건 지겠습니다. 이기려 하지 않겠습니다. 아내 앞에서는 나직성자체를 내려놓겠습니다. (나이, 직급, 성별, 자존심, 체면)
147. 지저분한 것(음식물 쓰레기, 화장실 청소)다 하겠습니다.
148. 함께하는 한 가지를 위해 개인 생활 10가지를 감수하겠습니다.
149. 최강자 학습지 시작 (최보규의 강사학습지, 자기계발학습지)
150. 홍코 시작(집에서 화상 1:1 케어)
151. 불자의 인생 시작
152. 나는 복덩이리다. 나는 운이 좋은 사람이다.
153. 베스트셀러 3권 달성 노하우 책쓰기 교육 시작
154. 유튜브, 유튜버 100년 하는 노하우 교육 시작

최보규 방탄리더십 전문가의 정신건강 운동(스트레스 관리) 습관 320가지 (2008년 ~ 진행 중)

155. 방탄멘탈마스터 양성 시작
156. 나다운 방탄멘탈 책으로 극단적인 선택 줄이기
157. 아침 8시, 저녁 9시 방탄멘탈공식 SNS 공유
158. 5번째 책 2022년 나다운 방탄사랑
159. 2023 나다운 방탄멘탈 2
160. 2024 나다운 책 쓰기(100년 가는 책)
161. 2025 유튜버가 아니라 나튜버 (100년 가는 나튜버)
162. 2026 나다운 강사3(Q&A)
163. 2027 나다운 명언
164. 2029 나다운 인생(50살 자서전)
165. 줌 화상 기법 강의, 코칭(최보규줌사관학교)
166. 언택트(비대면)시대에 맞게 아날로그 방식 80%를 디지털 방식 80%로 체인지
167. 변기 뚜껑 닫고 물 내리기
168. 빨래개기
169. 요리하기, 요리책 내기 위한 자료 수집
170. 화장실 물기 제거

171. 부엌 청소, 집 청소, 화장실 청소
172. 사랑해 100번 표현하기
173. 아내에게 하루 마무리 안마 5분 해주기
174. 헌혈 2달에 1번
175. 헌혈증 기부
176. 네 번째 책 행복 히어로 책 출간
177. 극단적인 선택률, 이혼을 낮추기 위한 교육 시작
178. 행복을 높이기 위한 교육 시작
179. 다섯 번째 책 원고 작업 시작
180. 여섯 번째 책 자료 수집
181. 운전 중 양보 해 줄 때, 받을 때 목례로 인사하기.
182. 다섯 번째 책 나다운 방탄습관블록 출간
183. 습관사관학교 시스템 완성
184. 습관 코칭, 교육 시작
185. 아침 8시, 저녁 9시 습관 메시지 sns 공유
186. 습관 전문가 되어 무료 케어 상담 시작
187. 습관 콘텐츠 유튜브<행복히어로>에 무료 오픈 시작

최보규 방탄리더십 전문가의 정신건강 운동(스트레스 관리) 습관 320가지 (2008년 ~ 진행 중)

188. 여섯 번째 책 원고 작업 시작
189. 최보규상(대한민국 노벨상) 버킷리스트 설정
190. 2037년까지 운영진, 자금(상금), 시스템 완성 목표 설정
191. 최보규상을 1,000년 동안 유지하기 위한 공부
192. 일곱 번째 자존감 책 원고 작업
193. 여덟 번째 책 쓰기 자료 수집, 공부
194. 앉아서 일할 때 50분의 한번 건강 타이머 누르기
195. 세계 최초 자기계발쇼핑몰(www.자기계발아마존.com)
196. 온라인 건물주 분양 시작(월세, 연금성 소득 올릴 수 있는 시스템)
197. 일곱, 여덟 번째 책 출간(나다운 방탄자존감 명언 Ⅰ, Ⅱ)
198. 자기계발코칭전문가 1급, 2급 자격증 교육 시작
199. 방탄자기계발사관학교 Ⅰ, Ⅱ, Ⅲ, Ⅳ 4권 출간
200. 2021년 목표였던 9권 책 출간 달성!
201. 하루 3번 호흡 스펙 습관 쌓기 시작
   (코 8초 마시고, 5초 멈추고, 입으로 8초 내뱉기)
202. 장모님께 출간 한 책 12권 드리기
203. 2022년 최보규의 책 쓰기9 원고 작업 시작
204. 100만 프리랜서를 도움주기 위한 프로젝트 시작

205. 방탄 자존감 코칭 기술
206. 방탄 자신감 코칭 기술
207. 방탄 자기관리 코칭 기술
208. 방탄 자기계발 코칭 기술
209. 방탄 멘탈 코칭 기술
210. 방탄 습관 코칭 기술
211. 방탄 긍정 코칭 기술
212. 방탄 행복 코칭 기술
213. 방탄 동기부여 코칭 기술
214. 방탄 점심교육 코칭 기술
215. 꿈 코칭 기술
216. 목표 코칭 기술
217. 방탄 강사 코칭 기술
218. 방탄 강의 코칭 기술
219. 파워포인트 코칭 기술
220. 강사 트레이닝 코칭 기술
221. 강사 스킬UP 코칭 기술
222. 강사 인성, 멘탈 코칭 기술

최보규 방탄리더십 전문가의 정신건강 운동(스트레스 관리) 습관 320가지 (2008년 ~ 진행 중)

223. 강사 습관 코칭 기술
224. 강사 자기계발 코칭 기술
225. 강사 자기관리 코칭 기술
226. 강사 양성 코칭 기술
227. 강사 양성 과정 코칭 기술
228. 퍼스널브랜딩 코칭 기술
229. 방탄 리더십 코칭 기술
230. 방탄 인간관계 코칭 기술
231. 방탄 인성 코칭 기술
232. 방탄 사랑 코칭 기술
233. 스트레스 해소 코칭 기술
234. 힐링, 웃음, FUN 코칭 기술
235. 마인드컨트롤 코칭 기술
236. 사명감 코칭 기술
237. 신념, 열정 코칭 기술
238. 팀워크 코칭 기술
239. 협동, 협업 코칭 기술
240. 버킷리스트 코칭 기술

241. 종이책 쓰기 코칭 기술
242. PDF 책 쓰기 코칭 기술
243. PPT로 책 출간 코칭 기술
244. 자격증 교육 커리큘럼으로 책 출간 코칭 기술
245. 자격증 교육 커리큘럼으로 영상 제작 코칭 기술
246. 책으로 디지털콘텐츠 제작 코칭 기술
247. 책으로 온라인 콘텐츠 제작 코칭 기술
248. 책으로 네이버 인물 등록 코칭 기술
249. 책으로 강의 교안 제작 코칭 기술
250. 책으로 민간 자격증 만드는 코칭 기술
251. 책으로 자격증 과정 8시간 제작 코칭 기술
252. 책으로 유튜브 콘텐츠 제작 코칭 기술
253. 유튜브 시작 코칭 기술
254. 유튜브 자존감 코칭 기술
255. 유튜브 멘탈 코칭 기술
256. 유튜브 습관 코칭 기술
257. 유튜브 목표, 방향 코칭 기술
258. 유튜브 동기부여 코칭 기술

최보규 방탄리더십 전문가의 정신건강 운동(스트레스 관리) 습관 320가지 (2008년 ~ 진행 중)

259. 유튜브가 아닌 나튜브 코칭 기술
260. 유튜브 영상 제작 코칭 기술
261. 유튜브 영상 편집 코칭 기술
262. 유튜브 울림증 극복 코칭 기술
263. 유튜브 썸네일 디자인 제작 코칭 기술
264. 유튜브 콘텐츠 제작 코칭 기술
265. 유튜브 수입 연결 제작 코칭 기술
266. 유튜브 영상 홍보 코칭 기술
267. 홈페이지 무인시스템 연결 제작 코칭 기술
268. 홈페이지 자동 결제 시스템 제작 코칭 기술
269. 홈페이지 비메오 연결 제작 코칭 기술
270. 홈페이지 렌탈 시스템 제작 코칭 기술
271. 홈페이지 디자인 제작 코칭 기술
272. 홈페이지 제작 코칭 기술
273. 재능마켓 크몽 PDF 입점 코칭 기술
274. 재능마켓 크몽 강의 입점 코칭 기술
275. 재능마켓 크몽 이미지 디자인 제작 코칭 기술
276. 재능마켓 크몽 입점 영상 제작 코칭 기술

277. 재능마켓 크몽 입점 영상 편집 코칭 기술
278. 재능마켓 크몽 VOD 입점 코칭 기술
279. 클래스101 영상 입점 코칭 기술
280. 클래스101 PDF 입점 코칭 기술
281. 클래스101 이미지 디자인 제작 코칭 기술
282. 클래스101 영상 제작 코칭 기술
283. 클래스101 영상 편집 코칭 기술
284. 탈잉 영상 입점 코칭 기술
285. 탈잉 PDF 입점 코칭 기술
286. 탈잉 이미지 디자인 제작 코칭 기술
287. 탈잉 영상 제작 코칭 기술
288. 탈잉영상 편집 코칭 기술
289. 탈잉 VOD 입점 코칭 기술
290. 클래스U 영상 입점 코칭 기술
291. 클래스U 영상 제작 코칭 기술
292. 클래스U 영상 편집 코칭 기술
293. 클래스U 이미지 디자인 제작 코칭 기술
294. 클래스U 커리큘럼 제작 코칭 기술

최보규 방탄리더십 전문가의 정신건강 운동(스트레스 관리) 습관 320가지 (2008년 ~ 진행 중)

295. 인률 입점 코칭 기술
296. 자신 분야 콘텐츠 제작 코칭 기술
297. 자신 분야 콘텐츠 컨설팅 코칭 기술
298. 자기계발코칭전문가 1시간 ~ 1년 코칭 기술
299. 강사코칭전문가, 리더십코칭전문가 1시간 ~ 1년 코칭 기술
300. 온라인 건물주 되는 코칭 기술
301. 강사 1:1 코칭기법 코칭 기술
302. 전문 분야 있는 사람 1:1 코칭 기법 코칭 기술
303. CEO, 대표, 리더, 협회장 품위유지의무 코칭 기술
304. 은퇴 준비 코칭 기술
305. 2023년 나다운 방탄리더십 1, 2, 3, 4, 5 출간
306. 나다운 방탄리더십 아침, 저녁 메시지 시작
307. 강사코칭전문가 자격증 시스템 시작
308. 방탄 리더십 원고 작업 시작
309. 방탄 리더 자존감 원고 작업 시작
310. 방탄 리더 멘탈 원고 작업 시작
311. 방탄 리더 습관 원고 작업 시작
312. 방탄 리더 행복 원고 작업 시작
313. 방탄 리더 자기계발 원고 작업 시작
314. 방탄 리더 코칭 원고 작업 시작
315. 마트에서 구입한 물건들 바코드 정렬해서 올리기
316. 장모님 머리 염색해 주기
317. 처남 금연, 금주 도와주기
318. 한 해 시작할 때 습관 영상 업로드
319. 결혼기념일 뱃지, 명찰 제작
320. 뒤꿈치 들기 운동 시작

· [출간 한《나다운 방탄 리더십》책 내용]

4. 측은지심 갖기 (안쓰러운 마음, 안타까운 마음)
- 코칭 전문가는 통찰력이 있어야 한다.

측은지심은 부정적인 불쌍한 마음이 아니다. 안쓰러운 마음 안타까운 마음이다. 일반적인 관계인 기브앤테이크가 아닌 코칭 받는 사람의 입장, 상황을 생각하며 측은지심을 가질 수 있어야 한다.

"너 아프냐? 어쩌라고?" 이런 태도가 아니라 "아프세요? 아프군요. 힘들어요? 힘드시군요." 코칭 전문가라면 측은지심을 갖고 함께 고민하고 함께 걱정을 해줘야 한다. 도와줄 수 있는 선에서 최선을 다해야 한다.

다음은 자신의 가치는 어떠한 상황 속에서도 변하지 않는다는 것을 깨닫게 해주는 스토리텔링이다.

명태, 뭐라고 불러야 해?
바닷속에선 '명태'라고 하더니 그물로 잡혔다고 '망태'라고 부르다가 낚시로 잡히면 '조태'래. 수신시장 가면 싱싱한 '생태'라고 부르는데 꽁꽁 얼렸을 땐 '동태'래 이번엔 속이 노랗다며 '황태'라 부르고 껍질이 검으니까 '먹태'라더니 아니 이제는 하얗다고 '백태'? 코꿰어 꾸덕꾸덕하게 말리면 '코다리'라 했다가 바싹 말렸을 땐 '북어'라고 하더니 너무 바~짝 말려진 건 딱딱 하다고 '깡태'래. 말리다 부서지면 원래 모양을 잃어버렸다고 '파태'라하는데 머리가 없으면 '무두태'라 부르다가 나 원, 밥 먹을 때는 '생선요리'라지 뭐야?
<KBS FM 106.1 김태훈의 프리웨이>
《뭐라고 불어야 해?》

미국에서 명강사로 소문난 사람이 있었다.
그 강사는 수많은 사람들이 모인 세미나에서 열변을 토하고 있었다.

그러다 갑자기 주머니에서 100달러짜리 지폐 한 장을 들고 흔들며 말했다.

"여러분, 이 돈을 갖고 싶지요? 갖고 싶은 사람 손들어 보세요." 그러자 세미나에 참석한 대부분의 사람들이 손을 들었다. 그 모습을 본 강사는 갑자기 돈을 손안에 넣고 마구 구기기 시작했다. 빳빳했던 돈은 형편없이 구겨졌다. 그리고는 계속해서 말했다.

"혹시 아직도 이 돈을 갖고 싶은 분 있습니까? 손 들어 보세요." 그러자 사람들은 이상하게 생각하면서도 거의 다시 손을 들었다. 그러자 강사는 그 돈을 바닥에 던지더니 구둣발로 마구 짓밟았다. 아까 구겨진 것에 더해 이제는 지저분한 흙도 묻었고 더욱 심하게 구겨졌다. 그 돈을 다시 집어 든 강사가 물었다. "이래도 이 돈을 가지고 싶은 분 있습니까?" 그러자 또다시 대부분의 사람들이 손을 들었다. 그러자 강사는 이렇게 말했다.

"보세요. 제가 아무리 100달러짜리를 손으로 구기고 발로 짓밟아도 더럽고 지저분하게 만들었지만 그 가치는 전혀 줄어들지 않습니다. 우리도 살아가다 보면, 누군가의 손에 의해 구겨지고, 다른 사람의 발에 짓밟혀서 더럽고 지저분하게 되었을 수 있습니다. 그렇지만 나의 가치는 여전히 변하지 않는다는 것을 알아야 합니다. 아무리 실수와 실패를 해도, 그래서 나락으로 떨어졌다 하더라도 나의 가치는 영원히 살아있습니다. 스스로 자기 가치를 낮게 평가해 기죽이지 마시기를 바랍니다. 대부분의 사람들이 자신감이 없는 것은 외부의 영향이 아니라 자신이 그렇게 만드는 것입니다."

명태, 100달러 스토리의 공통점은 본질과 가치는 변하지 않는다.

리더, 코칭 전문가, 교육자(강사, 교수, 선생님), 말하는 직업을 가지고 있는 사람이라면 위 스토리텔링의 핵심인 "자신의 가치는 아무리 외부적인 영향을 받더라도 변하지 않는다."에서 끝나면 안 된다. 누구나 느낄 수 있는 뻔한 말을 하는 사람은 전문가가 아니다.

한 분야 전문가라면, 리더, 코칭 전문가라면 일반 사람들이 보지 못하는 것을 보고 방향 제시를 해줘야 한다. '명태 뭐라고 불러야 해?, 100달러 가치' 스토리텔링을 듣고 대부분 사람들은 "그래 나의 가치는 변하지 않아. 아무리 힘들고 어려운 상황이 닥쳐도 나의 가치는 변하지 않기에 힘내자."라고 느끼고 끝난다.

리더, 코칭 전문가, 교육자라면 '명태 뭐라고 불러야 해?, 100달러 가치' 스토리텔링을 듣고 누구나 가치가 중요한지는 알고 있다. 하지만 힘들고 어려운 상황이 닥쳤을 때 '명태 뭐라고 불러야 해?, 100달러 가치' 스토리텔링을 기억하고 생각하면서 "힘든 상황을 어떻게 하면 극복 할 수 있을까?"라는 생각은 안타깝게도 전혀 생각이 나지 않을 것이다. '명태 뭐라고 불러야 해?, 100달러 가치' 스토리텔링을 듣고 감동, 울림, 메시지를 느꼈더라도 1초면 사라진다. "어떻게 하면 가치 스토리텔링에서 느낀점을 오래 지속하기 위해서 무엇부터 해야 하는가? 가치를 이론적으로만 알고 있지 실질적으로 자신 분야와 연결을 시키는 방법은 모른다. 어떻게 하면 자신 분야에 가치를 연결시킬 수 있을까?"

리더, 코칭 전문가, 교육자(강사, 교수, 선생님), 말하는 직업을 가지고 있는 사람이라면 통찰력(사물이나 형상을 예리한 관찰력으로 사물을 꿰뚫어 보는 능력, 미래를 예측하는 힘)이 있어야 한다.

- 철(사람)은 가공(시행착오, 대가 지불, 인고의 시간)을 통해 가치가 올라가 쓰임새가 달라진다.

다음은 자신의 가치를 어떻게 평가하는지 깨닫게 해주는 스토리텔링이다.

카페에 피카소가 앉아 있었습니다. 한 손님이 다가와 종이 냅킨 위에 그림을 그려 달라고 부탁했습니다. 피카소는 상냥하게 고개를 끄덕이곤 빠르게 스케치를 끝냈습니다. 냅킨을 건네며 1억 원을 요구했습니다.
손님이 깜짝 놀라며 말했습니다. 어떻게 그런 거액을 요구할 수 있나요? 그림을 그리는 데 1분밖에 걸리지 않았잖아요. 이에 피카소가 답했습니다.
아니요. 40년이 걸렸습니다. 냅킨의 그림에는 피카소가 40여 년 동안 쌓아온 노력, 고통, 열정, 명성이 담겨 있었습니다. 피카소는 자신이 평생을 바쳐서 해온 일의 가치를 스스로 낮게 평가하지 않았습니다.
《확신》

20,000명 심리 상담, 코칭 하면서 각자 가치가 있지만 가치를 어떻게 다듬느냐에 따라 가치, 몸값이 달라진다는 것을 알았다.

철(사람)이라는 가치가 있다.

철(사람)은 가공(시행착오, 대가 지불, 인고의 시간)을 통해 가치가 올라가 쓰임새가 달라진다.

철(사람)을 가공(시행착오, 대가 지불, 인고의 시간)하지 않고 그대로 두면 녹슬어 가치, 가격이 낮아져 고물 취급을 받는다.

철(사람)을 못으로 가공(시행착오, 대가 지불, 인고의 시간)하면 철의 가치, 가격은 10배 상승한다.

철(사람)을 바늘로 가공(시행착오, 대가 지불, 인고의 시간)하면 철의 가치, 가격은 100배 상승한다.

철(사람)을 명검으로 가공(시행착오, 대가 지불, 인고의 시간)하면 철의 가치, 가격은 부르는 게 값이다.

사람은 누구나 가치가 있다. 가치를 가공하지 않으면 가치는 떨어지고 녹슨다. 자신의 가치를 어떤 사람을 만나서 가공하냐에 따라 자신의 가치, 몸값은 달라진다.

별명이 1조의 방탄자기계발 전문가가 있다.

1년에 1조의 경제적 가치가 있는 사람. 한 달 833억, 하루 27억, 1시간 1억, 1분 170만 원. 세상, 현실 기준의 경제적 가치가 아닌 스스로가 하고 있는 가치를 알아야만 그 가치만큼 실천과 행동이 나온다. 1조를 벌어야 1조의 가치가 나오는 게 아니다. 1조 가치의 행동을 했을 때 1조를 벌 수 있는 것이고 1조만큼의 가치 있는 삶을 사는 것이다. 리더십코칭전문가는 자신의 가치가 명확하지 않으면 그 누구도 그 가치를 만들어 줄 수 없다. 당신의 가치는 얼마인가?

자신의 가치, 스펙, 삼성(진정성, 전문성, 신뢰성)을 올려야만 가치가 높아지는 것이다. 리더, 코칭 전문가, 교육자(강사, 교수, 선생님), 말하는 직업을 가지고 있는 사람들은 일반 사람들 보다 자신의 가치를 높여야 한다. 자신의 가치를 다듬을 줄 알아야만 학습자의 가치를 다듬어 줄 수 있다. 리더십코칭전문가 가치를 다듬는 도구는 리더 자존감, 리더 멘탈, 리더 습관, 리더 행복, 리더 자기계발이다.

리더, 코칭 전문가, 교육자(강사, 교수, 선생님), 말하는 직업을 가지고 있는 사람들은 학습자의 가치, 가능성을 믿고 코칭을 해야 한다.

부정적인 불쌍한 마음(학습자의 가치, 가능성을 무시하는 마음. "당신 같은 실력으로는 절대 안 된다. 가능성이 없다.")이 아닌 안쓰러운 마음인 "자신의 가치, 가능성을 끌어내서 잘 다듬으면 지금 보다 좀 더 나은 삶을 살 수 있고 결과를 만들 수 있다."라는 태도로 측은지심 코칭을 해야 한다.

자신 가치도 다듬어야 가치가 있다!

자신의 가치를 다듬지 못하면 하찮은 돌과 같다. 돌을 다듬어서 조각상으로 **만들면** 가치가 올라가듯 리더, 코칭 전문가, 교육자(강사, 교수, 선생님)는 학습자의 가치를 다듬어 줄 수 있는 도구가 되어야 한다.

철(사람)은
가공(시행착오, 대가 지불, 인고의 시간)을 통해
가치가 올라가 쓰임새가 달라진다.
리더, 코칭 전문가, 교육자(강사, 교수, 선생님)는
학습자의 가치를 가공할 수 있는 기술력이 있어야 한다!

철의 가치는
가공하면 가치가 상승한다!

철을 못으로 가공하면
가치, 가격이 10배 상승한다!

철을 바늘로 가공하면
가치, 가격이 100배 상승한다!

철을 명검으로 가공하면
가치, 가격이 부르는 게 값이다.

- 방탄 리더십 교안 PPT 목차 5-6

· [출간 한《나다운 방탄 리더십》책 내용을 방탄 동기부여 교육 PPT로 디자인]

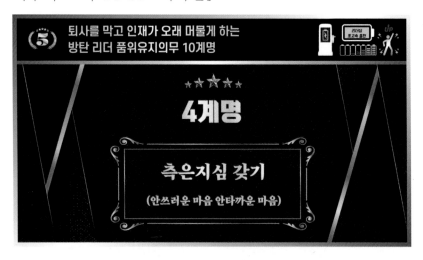

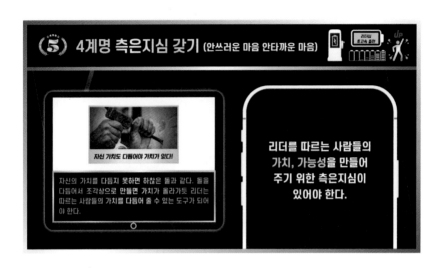

· [출간 한 《나다운 방탄 리더십》 책 내용]

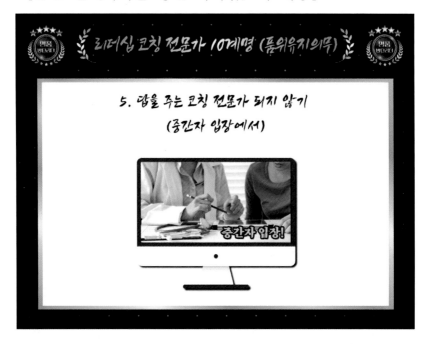

5. 답을 주는 코칭 전문가 되지 않기 (중간자 입장에서)

– 답을 주면 안 된다. 차선책도 주면 안 된다. 스스로 선택하고 책임지게 만들어라.

한 분야 전문가라도 무조건 답이라고 단정 지어서 말을 하면 안 된다. 이게 답이라고 말을 했다가 그 답을 믿고 선택하고 따라 했는데 결과가 나오지 않을 때는 코칭 전문가에게 화살이 돌아온다.

코칭 전문가는 '이럴 수도 있고 저럴 수도 있다.'라고 중간자 입장에서 말을 해야 한다. A를 선택했을 때, B를 선택했을 때 장, 단점을 자세히 알려주고 '선택은 의뢰자가 하는 것이고 책임도 의뢰자의 몫이다.'라는 말을 해야 한다. 코칭 전문가는 답을 주는 게 아니라 잘 선택할 수 있게 방향을 잡아 주는 사람이다.

다음은 최고의 선택을 어떻게 해야 하는지 방법을 깨닫게 해주는 스토리텔링이다.

> 답을 찾지 마라. 인생에 정답은 없다.
> 모든 선택에는 정답과 오답이 공존한다.
> 지혜로운 사람들은 선택한 다음에
> 그걸 정답으로 만들어내는 것이고,
> 어리석은 사람들은 그걸 선택하고
> 후회하면서 오답으로 만든다.
> 《여덟 단어》

최고의 남자를 만나는 법
결혼 전 여자들의 가장 큰 고민 이 남자랑 결혼해도 될까? 결혼 준비하며 파혼을 생각한 커플 93%. 예비 신부가 친구들에게 자주하는 말은 왠지 더 좋은 남자가 있을 것 같아. 나도 예비신부였다. 이 남자...정말 최선일까? 난 선택이 어렵다. 대부분의 선택 장애는 이런 식이었다. 후라이드 먹을까? 양념 먹을까? 재수할까? 그냥 들어갈까? 퇴사할까? 계속 다닐까? 나 왜 이렇게 선택을 못하고 고민만 했을까? 최고의 선택을 못하고 고민만 했을까? 최고의 선택을 하고 싶어서 아니었을까? 그러다 상견례에서 만난 시어머니, 그때 들은 말씀은 충격이다.

세상 그 어디에도 잘한 결혼은 없단다. 오직 잘해가는 결혼만 있을 뿐이지. 뒤통수를 맞은 것 같은 기분...최고의 선택이라는 건 원래 없었던 것 아닐까? 내가 결혼을 결심해야 하는 때는 남자에 대한 확신이 생길 때가 아니라, 어떤 남자와 결혼해도 잘 해낼 수 있다는 믿음이 생길 때였다. 최고의 선택은 없다. 오직 내 선택을 최고로 만드는 나만 있을 뿐.

《인문학 습관》 윤소정

선택이 어렵다고들 한다.
더 좋은 것을 선택해야 한다는 압박감 때문에 어렵다고, 선택의 가지 수가 너무 많아 하나를 고르기가 힘들다고 한다. 하지만 그것보다 선택을 어렵게 하는 이유는 따로 있다. 그것은 바로, 내가 현재 가지고 있는 것에 대한 아쉬움, 선택을 함으로써 버려야 하는 것들에 대한 두려움 때문이다. 그것 때문에 선택이 어려워지는 것이다.

선택을 쉽게 만드는 것은, 가지고 있는 것을 버릴 수 있는 용기다. 현재 가지고 있는 것을 버릴 수 있는 용기가 클수록 인간이 선택할 수 있는 폭은 넓어지는 것이다. 모든 일에는 반대급부(어떤 일에 대응하여 얻게 되는 이익)가 존재하기 때문이다. 무언가를 택하면 무언가는 버려야 한다. 선택의 기로에 서 있을 때 생각해보자. 나는 내가 원하는 것을 위해서 얼마만큼 버릴 수 있는가?

<페이스북 ggumtalk>

동전을 던져 선택하는 사람

20세기 초 이탈리아의 한 청년은 독특한 버릇을 가지고 있었는데, 그것은 바로 동전 던지기.

고민이 되는 상황마다 동전을 던져서 선택을 하는 것이었다. 그런 그에게 두 가지 중요한 선택이 있었다. 팔의 적십자사로 전근을 가느냐, 디자이너 가게에서 일을 하느냐, 그는 앞면이 나오면 디자이너 샵으로, 뒷면이 나오면 적십자사로 가기로 마음먹었다.

결과는 앞면 이렇게 그는 패션계에 발을 들이게 됐고, 재능을 인정받아 당대 최고의 디자이너인 디올 밑에서 일하게 되었다. 그러면 중 디올이 죽고 후계자로 지목되자, 그는 또다시 동전을 던진다.

회사에 남아 디올의 뒤를 이을 것인가, 나의 이름을 단 가게를 낼 것인가. 결국 독립을 택한 그는 자신의 이름을 내건 브랜드를 만들었고, 우리는 그 브랜드를 피에르 가르뎅 이라고 부른다. 한 기자가 그에게 말했다. 운이 정말 좋으시네요, 동전을 던져서 좋은 선택을 할 수 있었으니까요. 그는 말했다. 동전 던지기가 좋은 선택을 하게 한 게 아닙니다. 어떤 선택이든 일단 결정을 한 후에 믿음을 갖고 나아갔기 때문입니다.

살아가며 우리는 많은 선택 앞에서 고민에 빠진다. 무엇이 더 옳은 길인지 알기 위해 술자리에서 진지하게 이야기를 나눠 보기도, 위 사람에게 조언을 구해보기도 했지만 진정 중요한 것은 선택 그 자체가 아닌, 선택 후의 믿음과 행동이다.

<유튜브 열정에 기름 붓기>

앞에 스토리텔링의 공통점을 찾았는가? 최고의 선택은 없다. 자신이 선택한 것은 최고의 선택으로 만드는 것이 중요하다.

리더십코칭전문가는 중간자 입장에서 의뢰자가 선택을 할 수 있게 방향 제시와 시행착오, 대가 지불, 인고의 시간, 감수할 것들을 언급해줘야 한다. "무조건 잘 될

것이다. 다 잘 될 것이다. 당신은 할 수 있다." 근자감
(근거 없는 가짜 자신감)을 심어주는 것은 독이 된다.
어느 정도 힘들 것이라는 것을 말해줘야 예방접종이 된
다. 그럼에도 불구하고 선택한 순간부터 선택한 것에 결
과가 나올 때까지 정신교육, 동기부여를 꾸준히 해줘야
한다.

"당신이 선택한 것이니 이제는 알아서 해라"가 아니라
잘하고 있는지 중간자 입장에서 A/S, 피드백, 관리를 해
줘야 한다. 이것이 리더십코칭전문가의 사명이다.

- 방탄 리더십 교안 PPT 목차 5-7
· [출간 한《나다운 방탄 리더십》책 내용을 방탄 동기부여 교육 PPT로 디자인]

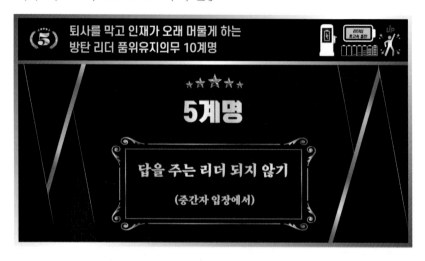

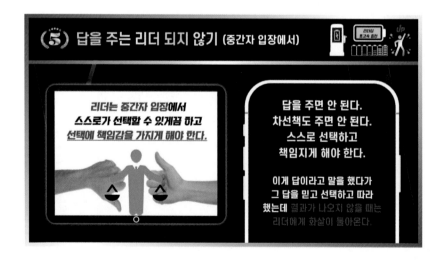

선택한 순간 차선책은 없다!

선택을 잘하는 최고의 방법? "최고의 선택은 없다!" 라는 태도로
선택한 후 최고의 결과를 내기 위해
자신을 믿고 꾸준히 행동하는 것뿐이다!

- 방탄 리더십 교안 PPT 목차 5-8

· [출간 한《나다운 방탄 리더십》책 내용]

6. 경청(눈, 입, 코, 몸, 귀, 마음, 삶의 자세)

- 삶의 자세 경청이 되면 눈 경청, 입 경청, 코 경청, 몸 경청, 귀 경청, 마음 경청은 자연스럽게 된다.

눈 경청 , 입 경청, 코 경청 , 몸 경청 , 귀 경청 , 마음 경청, 삶의 자세 경청, 경청은 귀로만 듣는 게 아니다.

눈 경청은 "당신의 걱정, 고민들을 함께 헤쳐 나갑시

다." 라는 눈빛을 보일 때이다.

눈총과 눈빛 차이가 있다. 눈총은 "너가 되겠냐, 네 주
제에, 주제를 알아라, 네 스펙에 너 돈 없잖아. 너 외모
안 되잖아." 이런 눈총을 주는 사람 있다.
눈빛은 "함께 합시다. 할 수 있습니다. 제가 도와드릴게
요. 당신의 가능성을 믿으세요."라고 응원을 해준다.
신체 부분 중 유일하게 성형이 안 되는 것이 눈빛이다.
눈빛은 입, 코, 몸, 귀, 마음, 삶의 자세 경청이 될 때 나
온다.

입 경청은 지금 감정을 공감해주는 말투로 말해주는 것
이 입 경청이다.
"그랬군요. 힘들었군요. 지치셨군요. 답답했군요."

코 경청은 상대방이 말하는 내용에서 느껴지는 삶의 향
기에 집중하는 것이 코 경청이다.

귀 경청은 말하는 소리만 잘 듣는 것이 아니라 말투에
따라 공감해주는 것이 귀 경청이다. 건성건성 듣는지 잘
듣고 있는지 모습에서 보인다.

마음 경청은 안타까운 마음, 안쓰러운 마음으로 듣는 것

이 마음 경청이다.

삶의 자세 경청은 리더, 코칭 전문가 자신이 생활 속에서 나를 알고 있는 주변 사람들에게 선한 영향력을 끼치는 삶을 보여 주는 것이 삶의 자세 경청이다.

다음은 인간관계를 잘 하기 위한 방법을 깨닫게 해주는 스토리텔링이다.

운과 공.
"운"이란 글자를 뒤집어 읽으면 "공"이 됩니다.
이는 "공"을 들여야 "운"이 온다는 뜻으로 공든 탑은 절대 무너지지 않습니다. 인생에서 진짜 중요한 건 사회적인 지위가 아니라, 삶을 어떤 사람들과 함께 살아가느냐는 것이고, 무엇을 가졌는가? 가 아니라, 남에게 무엇을 베푸느냐는 것이며, 얼마나 많은 친구를 가졌는가? 가 아니라, 얼마나 많은 사람들이 나를 친구로 생각하느냐는 것입니다.
<운과 공>

'화향백리(花香百里)', 향기로운 꽃내음은 백리를 가고,
'주향천리(酒香千里)', 좋은 술의 향기는 천리를 가고,
'인향만리(人香萬里)', 인품있는 사람의 향기는 만리를

가고도 남는다고 했다. 중국 남북조(南北朝)시대의 남사(南史)에 보면 송계아(宋季雅)라는 고위 관리가 정년퇴직을 대비하여 노후에 살집을 구했는데, 그는 천백만금을 주고 여승진(呂僧珍)이란 사람의 이웃집을 사서 이사를 했다. 백만금밖에 안 되는 그 집값을 천백만금이나 주고 샀다는 말에 여승진이 이유를 물었다. 송계아의 대답은 간단했다. "백만매택(百萬買宅)이요, 천만매린(千萬買隣)이라. 백만금은 집값으로 지불하고, 천만금은 당신과 이웃이 되기 위한 덤(웃돈)으로 지불한 것입니다"라고. 좋은 이웃과 함께 하려고 집값의 열 배를 더 준 송계아에게 여승진은 감동하지 않을 수 없었다.

예로부터 좋은 이웃, 좋은 친구와 함께 산다는 것은 인생에 있어서 무엇보다도 가장 행복한 일로 여겨졌다. 그래서 좋은 이웃은 천금과도 바꾸지 않는다고 했던가? 당나라 문장가 왕발(王勃)은 자신의 친한 친구와 이별할 때 쓴 이별시(移別詩)에 "해내존지기(海內存知己)이요, 천애약비린(天涯若比隣)이라(이 세상 어딘가에 나를 알아줄 그대만 있다면 당신은 나의 영원한 이웃)"이란 유명한 구절을 남겼는데, 이는 백만금으로 집값을 주고, 천만금을 주고 좋은 이웃을 얻기 위해 웃돈을 주었다는 송계아의 얘기와 함께 우리에게 삶의 진실을 되돌아보게 하는 고사성어라 생각하며 많은 것을 느끼게 해준다.

오동나무는 천 년을 묵어도 그 속에 노래를 지니고 있고, 매화는 평생 추위와 살아도 향기를 잃지 않고, 달빛은 천 번 이지러져도 원래 모양은 남아 있고, 버드나무 줄기는 백번 찢어져도 또 새로운 가지가 난다고 한다. 이렇듯 사람은 누구나 그 사람만이 지니고 있는 마음씨가 있다. 가진 게 없으면서도 남을 도우려고 하는 사람, 자기도 바쁘면서 순서를 양보하는 사람, 어떠한 어려움도 꿋꿋하게 이겨내는 사람, 어려울 때 보기만 해도 위로가 되는 사람, 남의 허물을 감싸주고 남의 미흡한 점을 고운 눈길로 봐주는 사람, 자기의 몸을 태워 빛을 밝히는 촛불처럼 상대를 배려하고 도움을 주는 사람, 인연을 깨뜨리지 않는 사람, 이렇게 삶을 아름답게 함께하는 사람은 잘 익은 진한 과일 향이 나는 사람이며 곧 인향만리가 아닐까? 그런 마음, 그런 향기, 그런 진실, 향수를 뿌리지 않아도, 촛불을 켜지 않아도, 넉넉한 마음과 진한 과일 향이 풍기는 그런 사람이 되었으면 참 좋겠다.

<남해신문(http://www.namhae.tv)>

"공을 들여야 운이 오고 공든 탑이 무너지지 않는다."라는 말에 의미는 자신이 인품 좋은 사람이 되어 있지 않으면 좋은 사람보다 나를 힘들게 하는 사람들이 많이

와서 삶이 힘들어진다는 것이다. 20,000명 심리 상담, 코칭 하면서 알게 된 좋은 사람의 기준은 "저 사람은 내가 좋은 사람이 되고 싶도록 만들어"라는 말을 들을 수 있는 삶을 살아가기 위해 행동하면 된다.

사소한 것일지라도 보는 것, 말하는 것, 행동하는 것들이 "자신을 알고 있는 사람들에게 도움이 되었으면"라는 태도로 살아가는 것이 삶의 자세 경청이다.

삶의 자세 경청 5계명

1. 좋은 사람을 바라기 전에 좋은 사람이 되어 주자.
2. 나부터 시작, 작은 것부터 시작, 지금부터 시작.
3. "나 하나쯤이야" 태도가 아닌 "나 하나라도 하자"
4. 나의 1%는 누군가에게는 살아가는 이유 100%가 될 수 있다.
5. 내가 어려운 사람을 돕는 게 아니라 어려운 사람이 나에게 도울 기회를 주는 거다.

삶의 자세 경청이 잘 되면 눈, 입, 코, 몸, 귀, 마음 경청은 자연스럽게 된다.

리더십코칭전문가의 7가지 경청!

1. 눈 경청
2. 입 경청
3. 코 경청
4. 몸 경청
5. 귀 경청
6. 마음 경청
7. 삶의 자세 경청

삶의 자세 경청이 잘 되면 눈, 입, 코, 몸, 귀, 마음 경청은 자연스럽게 된다.

리더십코칭전문가 삶의 자세 경청 5계명

1. 좋은 사람을 바라기 전에 좋은 사람이 되어 주자.
2. 나부터 시작, 작은 것부터 시작, 지금부터 시작.
3. "나 하나쯤이야" 태도가 아닌 "나 하나라도 하자"
4. 나의 1%는 누군가에게는 살아가는 이유 100%가 될 수 있다.
5. 내가 어려운 사람을 돕는 게 아니라 어려운 사람이 나에게 도울 기회를 주는 거다.

평균 희망 은퇴 73세, 현실 은퇴 나이 49세! 100세 시대 언제까지 몸(노동)으로만 일해서 돈을 벌 것인가?

세상, 현실 기준에서 스펙, 돈, 인맥, 자산 등이 없어서 100세까지 노동을 해야 되고 몸까지 아프면 더 답이 없는 상황! 젊을 때는 100가지 중 99가지를 할 수 있지만 나이 들면 100가지 중 99가지를 할 수 없다. 3고 시대, AI 시대, 챗GPT 시대에 자신의 직업이 사라 질 수 있는 상황에서 어떻게 준비, 대비할 것인가?

 방탄BOOK기술력 선택이 아닌 필수!

ONLY ONE
방탄
BOOK
기술력

- 방탄 리더십 교안 PPT 목차 5-8

· [출간 한 《나다운 방탄 리더십》책 내용을 방탄 동기부여 교육 PPT로 디자인]

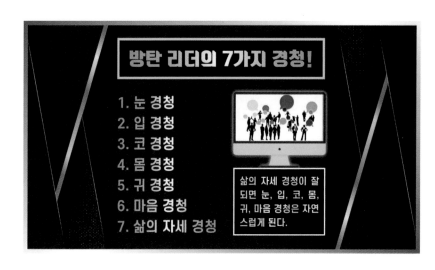

방탄 리더의 7가지 경청!

1. 눈 경청
2. 입 경청
3. 코 경청
4. 몸 경청
5. 귀 경청
6. 마음 경청
7. 삶의 자세 경청

삶의 자세 경청이 잘 되면 눈, 입, 코, 몸, 귀, 마음 경청은 자연스럽게 된다.

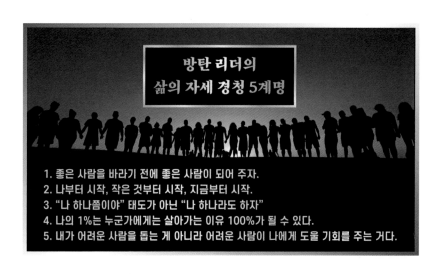

방탄 리더의 삶의 자세 경청 5계명

1. 좋은 사람을 바라기 전에 좋은 사람이 되어 주자.
2. 나부터 시작, 작은 것부터 시작, 지금부터 시작.
3. "나 하나쯤이야" 태도가 아닌 "나 하나라도 하자"
4. 나의 1%는 누군가에게는 살아가는 이유 100%가 될 수 있다.
5. 내가 어려운 사람을 돕는 게 아니라 어려운 사람이 나에게 도울 기회를 주는 거다.

- 방탄 리더십 교안 PPT 목차 5-9
· [출간 한 《나다운 방탄 리더십》 책 내용]

7. 진인사대천명 (7:3 최선을 다해서 코칭 하고 나머지 상황은 하늘이 한다는 마음)

- 70%는 온 정성을 다하고 30%는 신의 영역이다!

코칭을 하고 나서 코칭 받은 사람이 바라는 결과가 나오지 않더라도 코칭 받는 동안에 70%는 온 정성을 다했다면 30%는 하늘에 맡겨야 한다.

코칭 전문가는 신의 영역인 하늘의 뜻 30%를 책임질 필요가 없다. 30% 책임지려고도 하면 안 되는 것이다. 책임질 수도 없다.

코칭 받는 동안 70% 최선을 다하고 정성을 다했다면 코칭 전문가로서 역할을 다한 것이다. 결과가 안 좋게 나오더라도 그 사람 운명, 그 사람 몫이다.

결과가 안 나온다면 결과가 나올 때까지 A/S, 관리, 피드백 해주는 것은 코칭 전문가 재량껏 하면 되는 것이다. 무조건 책임져야 하는 것은 없다.

- 상담 스토리텔링

(필자가 상담 초보 때 경험한 스토리텔링)
내담자분이 극단적인 선택을 하려고 약통 하나를 옆에 두고 필자에게 전화를 하는 상황이다. 필자는 최선을 다해서 상담을 했다. 전화 끊고 나서 너무 걱정되는 것이다. 내 딴에는 최선을 다해서 상담했는데 내가 잘못 말해서, 내가 상담을 못해서 극단적인 선택을 했으면 어떡하지? 불안감이 들었다.
필자가 코칭 전문가를 양성하고 코칭 전문가를 사후 관리로 케어 해주듯이 심리상담사를 케어 해주는 상담사가 따로 있다.

그 상담사에게 오늘 상담했던 것을 애기했다. 상담사 조언 덕에 7:3공식을 알게 되었다.

"상담할 때(70%) 정성을 다해서, 온 힘을 다해 상담을 해줬다면 나머지 30%는 신의 영역이고 하늘의 뜻입니다. 스스로에게 최선을 다했다고 칭찬 해주면 되는 겁니다."

인생이란 것도 7:3공식을 접목하면 된다. 최선을 다하고, 정성을 다하며 하는 데까지 했으면 이후로 벌어지는 것은 신의 뜻인 운명이라는 것이다. 좋은 결과도 신의 뜻이고 나쁜 결과도 신의 뜻이다. 나쁜 결과도 분명히 자신에게 필요하기 때문에 온 것이다. 이런 태도가 코칭 전문가에게는 더 더욱 필요하다.

어떤 결과든 도움이 될 거라는 태도를 가질 때 코칭 전문가의 내공은 성숙에서 진화를 할 것이다.

리더, 코칭 전문가, 교육자(강사, 교수, 선생님)는 학습자에게 70% 최선을 다해야 한다고 했는데 70%가 어느 정도일까? 자신 기준에서 70% 최선이라는 것은 사람마다 기준이 다르다. 세계 인구 80억 명이라면 80억 명마다 기준이 다를 것이다. 그 기준을 만들어 가기 위해서는 자신, 자신 분야 눈뜨는 시기, 인고의 시간이 필요하다.

다음은 자신, 자신 분야에서 인고의 시간이 절대적으로 필요하다는 것을 깨닫게 해주는 스토리텔링이다.

맹도견으로 유명한 레트리버 한 마리를 교회에서 기르는데 새끼를 아홉 마리나 낳았다. 꼬물꼬물 눈도 뜨지 못하고 젖을 먹던 강아지들이 한 달이 다 되어가자 드디어 눈을 떴다.
아들이 내게 물었다.
"다른 동물은 낳자마자 눈을 뜨고 심지어 뛰어다니기까지 하는데 왜 강아지는 눈을 못 떠요?"
내가 아들에게 물었다.
"개들은 무엇이 발달되어 있지?"
아들이 대답했다.

"냄새를 잘 맡아요. 코가 발달되어 있지요."

"바로 그거야. 후각을 발달시키기 위해 하나님은 강아지를 한 달 동안 눈을 뜨지 못하게 한 것이 아닐까. 어떤 능력을 기르기 위해선 절대적인 시간이 필요하거든."

《그러니까 상상하라》

곤충학자 찰스 코우만은 애벌레가 나비가 되기 위해 고치 구멍을 뚫고 나오는 광경을 지켜보고 있었다. 고치에 난 조그마한 구멍으로 나비가 비집고 나오느라 필사의 노력을 하다 힘에 겨운 듯 잠시 잠잠해졌다. 죽은 것이 아닌가 하고 손가락으로 살며시 건드리자, 또 필사적인 탈출을 시도하지만 도무지 진도가 나가지 않았다. 몇 시간을 기다렸지만 나비는 그 작은 구멍을 뚫고 나오지 못했다. 이래서야 영영 나오지 못할 것 같다는 생각이 들었다. 찰스 코우만이 보다 못해 안타까운 마음에 가위로 주위를 조심스럽게 잘라 구멍을 넓혀주자, 예상대로 나비는 쉽게 고치 밖으로 나왔다.

그런데 쉽게 고치를 빠져나온 나비는 다른 나비들에 비해 몸통이 아주 작고 가냘프고 찌부러진 날개를 가지고 있었다. 찰스 코우만은 '곧 날개를 활짝 펴고 커서 튼튼해지겠지!' 하고 기대하면서 계속 지켜봤다. 그러나 실망스럽게도 그 나비는 말라비틀어진 몸뚱이와 찌그러진 날개를 지닌 채, 날지도 못하고 땅바닥을 기어 다니다 얼마 못 살고 죽어버렸다.

콘충학자 찰스 코우만은 자신의 실수를 이렇게 고백했다. 아이도 성장하는 과정에서 스스로 감당해야만 하는 과정이 있다. 고치 구멍을 스스로 뚫고 나오지 못하면 하늘을 향해 날아오를 힘을 가질 수 없다.

《부모라면 놓쳐서는 안 될 유대인 교육법》

누적 관객 1억 명의 황정민 배우 연봉 300만 원으로 21년 무명을 버틴 비결

"저도 늘 배우를 꿈꿔왔는데 이렇다 할 기회가 아직 안 와서 계속 기다리고 있습니다. 솔직히 기회가 많지 않아서 답답해요." 황정민 배우는 그 말을 듣고는 이렇게 답했다. "아쉽고 짜증 날 거예요. 저도 그랬으니까요. 근데 어쩔 수 없어요. 기다려야 해요. 저도 꽤 오랫동안 무명으로 대학로에 있었어요. 그 때 연봉이 300만 원이었습니다. 월급 말고 연봉이 300만 원이었어요. 제가 하고 싶은 말은 뭐나면요. 언제가 됐든 자신이 하고 싶은 일에 대해서 프라이드가 있어야 되고 자랑스러워야 해요. 그래야 배우가 돼요. 그게 없으면 배우가 될 수 없어요. 내가 이 일에 대해 얼마나 고민하고 몰두하고 공부하고 있는지를 스스로에게 한 번 더 물어보세요. 그렇게 조금씩 조금씩 하다 보면, 주변에서 본인을 찾게 돼요. 잘하니까 인정하게 돼요. 어느 순간." "안 찾으면 어떻게 해

요?" "찾게 되요 100% 찾아요." "제동씨가 저 얼굴에 어떻게 뽑혔겠어요. 저 사람만이 가지고 있는 상대방 마음과 마음을 읽을 수 있는 능력이 있잖아요. 기다리세요. 그 일에 대해 확신을 가지고 신념을 가지고 자신을 자랑스러워하세요. 분명히 됩니다."

<힐링캠프 황정민VS500인편>

갓 태어난 강아지의 눈이 한 달 동안 보지 못하는 이유는 강아지의 장점인 청각, 후각에 집중하게 해서 발달시킨 것이고 황정민 배우가 연봉 300만 원 받으면서 21년간 무명 시절을 겪고 빛을 보게 된 것 또한 자신의 장점에 집중을 했기 때문이다.

강아지의 눈 뜨는 시기는 자연의 이치로 한 달이라는 시간이 정해졌지만 자신 분야의 눈 뜨는 시기는 그 누구도 모른다. 사람에 따라서 자신 분야의 눈 뜨는 시기가 1년, 3년... 10년, 30년, 100년 걸릴 수도 있다.

20,000명 심리 상담, 코칭 하면서 알게 된 것은 코칭 전문가로서 단언컨대 말할 수 있는 건 자신만의 시행착오, 대가 지불, 인고의 시간을 그냥 시간의 흐름 속에서 아무 변화 없이 경력만 쌓고 버티기만 하는 것이 아니라 어제보다 0.1% 나음, 변화, 성장, 배움이 동반되는

시행착오, 대가 지불, 인고의 시간이 있을 때 자신 분야에 눈을 뜨는 때가 온다는 것이다. 자신 분야의 눈을 뜨는 시기를 앞당기는 건 전적으로 어떤 전문가를 만나느냐에 달렸다.

리더십코칭전문가는 자신, 자신 분야 시행착오, 대가 지불, 인고의 시간을 통해 눈뜨는 시기를 알아야만 학습자의 눈뜨는 시기가 각자 다르다는 것을 알려 줄 수가 있다. 배우만 무명시절이 있는 것이 아니다. 일반 사람들도 자신 분야 어려운 시절, 무명 시절이 있다. 그 무명 시절을 어떻게 보내느냐에 따라 달라진다.

시간, 경력만 채우는 무명 시절은 독이다. 시간과 경력이 아닌 나아짐, 변화, 성숙, 성장, 다름, 삼성(진정성, 전문성, 신뢰성)이 나오는 시간, 경력을 채워야 한다. 황정민 배우가 말했던 "실력이 좋으면 찾게 된다. 100% 찾게 된다." 이 말을 한마디로 정리를 하면 세상 모든 분야는 시행착오, 대가 지불, 인고의 시간을 거쳐야 되고 시간과 경력만 채우는 노오력이 아닌 삼성(진정성, 전문성, 신뢰성)을 향상 시킬 수 있는 올바른 노력을 했을 때 기회를 만들 수 있는 것이다.

때를 기다리는 사람이 아닌 때를 만들어 가는 사람이 되어야 한다. 때를 만들어 가기 위한 첫 번째 조건은 삼성(진정성, 전문성, 신뢰성)이 뒷받침이 되어야 한다는 것을 명심하자!

누적 관객 1억 명의 황정민 배우가
연봉 300만 원으로 21년 무명을 버틴 비결?

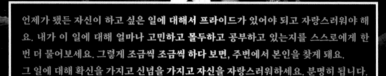

언제가 됐든 자신이 하고 싶은 일에 대해서 프라이드가 있어야 되고 자랑스러워야 해요. 내가 이 일에 대해 얼마나 고민하고 몰두하고 공부하고 있는지를 스스로에게 한 번 더 물어보세요. 그렇게 조금씩 조금씩 하다 보면, 주변에서 본인을 찾게 돼요. 그 일에 대해 확신을 가지고 신념을 가지고 자신을 자랑스러워하세요. 분명히 됩니다.

누구나 무명 시절이 있다. 시간, **경력**만 채우는 무명 시절은 독이다. 시간, 경력이 아닌 나아짐, 변화, 성숙, 성장, 다름, 삼성(진정성, 전문성, 신뢰성)이 나오는 시간, 경력을 채워야만 황정민 배우가 말했던 "실력이 좋으면 찾게 된다. 100% 찾게 된다." 때를 기다리는 사람이 아닌 때를 만들어 갈 수 있는 것이다.

한 분야 전문성으로 힘든 시대다. 이제는 포트폴리오 커리어 시대다. (포트폴리오 커리어: 한 분야 전문성 외 다수에 전문성이 있는 사람) 자신 경력을 왜 썩히고 있는가! 자신 경력을 활용해서 6가지 수입을 발생시킬 수 있는 방탄book기술력! 언제까지 몸(노동)으로 일할 것인가? 자신 경력이 일하게 하자! 자신 콘텐츠가 일하게 하자! 시스템이 일하게 하자!

★ ★ ★ ★ ★
직장은 자신 인생을 책임져 주지 않지만
방탄book기술력은 자신 인생을 책임져 준다.
직장은 자신을 배신하지만
방탄book기술력은 자신을 배신하지 않는다.

ONLY ONE
방탄
BOOK
기술력

- 방탄 리더십 교안 PPT 목차 5-9

· [출간 한《나다운 방탄 리더십》책 내용을 방탄 동
기부여 교육 PPT로 디자인]

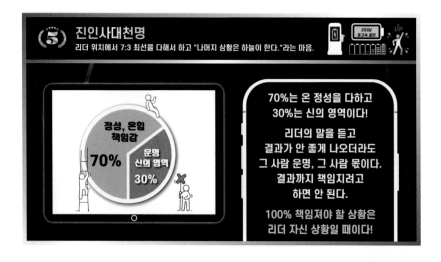

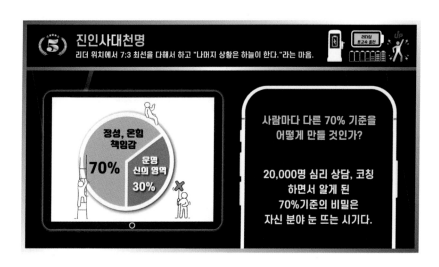

⑤ 진인사대천명
리더 위치에서 7:3 최선을 다해서 하고 "나머지 상황은 하늘이 한다."라는 마음.

정성, 온힘 책임감
70%

운명 신의 영역
30%

사람마다 다른 70% 기준을 어떻게 만들 것인가?

20,000명 심리 상담, 코칭 하면서 알게 된 70%기준의 비밀은 자신 분야 눈 뜨는 시기다.

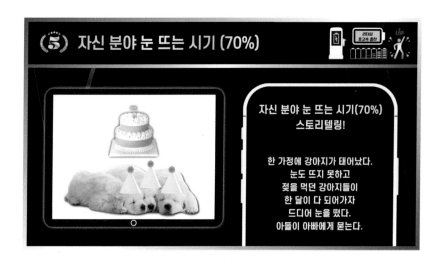

⑤ 자신 분야 눈 뜨는 시기 (70%)

자신 분야 눈 뜨는 시기(70%) 스토리텔링!

한 가정에 강아지가 태어났다. 눈도 뜨지 못하고 젖을 먹던 강아지들이 한 달이 다 되어가자 드디어 눈을 떴다. 아들이 아빠에게 묻는다.

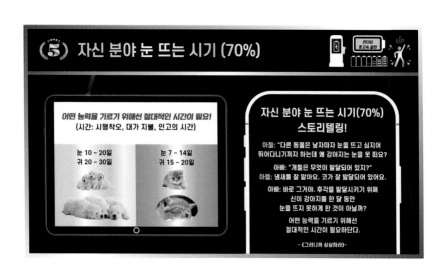

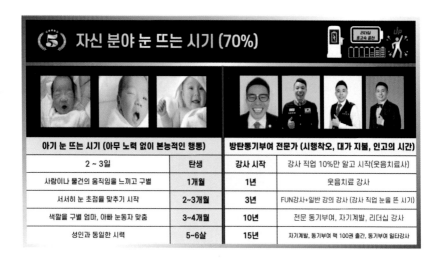

아기 눈 뜨는 시기 (아무 노력 없이 본능적인 행동)		방탄동기부여 전문가 (시행착오, 대가 지불, 인고의 시간)	
2 ~ 3일	탄생	강사 시작	강사 직업 10%만 알고 시작(웃음치료사)
사람이나 물건의 움직임을 느끼고 구별	1개월	1년	웃음치료 강사
서서히 눈 초점을 맞추기 시작	2~3개월	3년	FUN강사+일반 강의 강사 (강사 직업 눈을 뜬 시기)
색깔을 구별 엄마, 아빠 눈동자 맞춤	3~4개월	10년	전문 동기부여, 자기계발, 리더십 강사
성인과 동일한 시력	5~6살	15년	자기계발, 동기부여 책 100권 출간, 동기부여 일타강사

170

- 방탄 리더십 교안 PPT 목차 5-10
· [출간 한《나다운 방탄 리더십》책 내용]

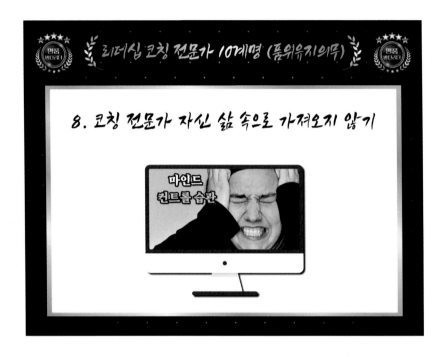

8. 코칭 전문가 자신 삶 속으로 가져오지 않기

- 부정의 감정은 긍정의 감정보다 1,000배 빠르게 전이
된다.

코칭 받는 사람들의 부정적인 감정들을 코칭 할 때 툴
툴 털고 바로바로 그때그때 감정 셀프케어를 해야 하는
데 부정적인 감정들이 코칭이 끝나고 나서도 코칭 전문

가 삶까지 깊이 들어오게 하면 안 된다.

"코칭 받는 사람이 너무 부정적이야. 나의 멘탈, 자존감
을 흔들리게 해. 나도 부정적인 사람이 되는 거 같아.
오늘 기분이 너무 안 좋다. 그 사람 때문에 너무 우울하
다."

이런 감정이 들 때 안 좋은 감정, 부정의 감정을 그때그
때 툴툴 먼지 털듯 털어버리기 위해서는 평상시에 마인
드 컨트롤 학습, 연습, 훈련 꾸준히 해야 한다.

20,000명 심리 상담, 코칭을 하면서 알게 된 것은 평균
적으로 마인드컨트롤, 감정컨트롤이 잘 안 돼서 힘들어
하는 사람들이 많고 방법을 알고 싶어 한다.

sns 시대에 마인드컨트롤 검색을 하면 수많은 방법들이
쏟아진다. 좋은 내용들이지만 흔하다 보면 하찮게 느껴
지는 게 사람의 심리이다. 대부분 뻔한 내용이라는 것이
다. 비교하지 마라, 긍정적인 생각을 해라, 운동해라, 자
신을 믿어라, 명상해라, 스트레스 받지 마라, 과식하지
마라, 산책해라, 음악 들어라, 부정적인 사람 멀리해라...
등 마인드컨트롤은 한 가지만 한다고 되는 것이 아니다.
자동차가 2만 ~ 3만 가지 부품들이 모여서 움직이듯 감

정이라는 자동차도 사람이 보는 것, 말하는 것, 행동 하는 모든 것들이 모여서 컨트롤이 되는 것이다. 감정컨트롤도 습관이라는 것이다. 그래서 필자가 끊임없이 강조하는 것이 필자의 습관 320가지다.

필자가 어떤 사람인지 습관 320가지를 보면 알게 된다. 필자의 습관 320가지를 보면서 "아~ 최보규 리더 코칭 전문가는 이런 습관들이 있어서 마인드컨트롤 학습, 연습, 훈련을 꾸준히 하는구나!" 라는 자신만의 감을 잡아가야 한다. 리더십코칭전문가 10계명 중 3계명인 [3. 정신건강 운동 (코칭 받는 사람의 부정을 긍정으로 밀어내기 위한 노력)]에 있는 습관 320가지 참고하기 바란다.

특히 리더, 코칭 전문가, 교육자, 한 분야의 전문가들은 일반 사람들보다 마인드컨트롤을 잘해야 한다.

한 분야 전문가라는 사람이 가장 기본인 마인드컨트롤을 못 한다면? 전문가 자격이 없는 것이다. 20,000명 심리 상담, 코칭을 하면서 리더, 코칭 전문가, 교육자, 한 분야의 전문가들은 백조가 되어야만 자신 마인드컨트롤을 잘하고 학습자의 마인드컨트롤까지 잘 할 수 있다는 것을 알았다. 전문가들은 왜 백조가 되어야 하는지 궁금하지 않은가? 백조가 되어야 하는 이유 세계 최초 공개한다! 집중!

- 리더, 코칭 전문가, 교육자, 한 분야의 전문가들은 백조가 되어야만 자신 마인드컨트롤을 잘 할 수 있다!

다음은 강사(리더, 코칭 전문가, 교육자)는 백조라는 본질을 깨닫게 해주는 스토리텔링이다.

강사는 백조다! 백조 물 밑의 다리(강사 현실)
우아하게 호수를 헤엄쳐 다니는 백조가 사실은 물속에서는 쉴 새 없이 발을 움직인다는 것 누구나 아는 사실입니다. 물 위에 떠 있는 백조의 모습에 혹하는 것처럼 강사 일에 뛰어드는 강사들이 50% 이상입니다.

• 화려한 강사의 이미지 뒤에 있는 현실
- 2~3시간 서 있어 저질 체력으로 인한 자괴감
평균적으로 강의 시간은 1시간입니다. 2~3시간 혹은 4~8시간씩 연속으로 강의하는 경우도 있는데 장시간 서 있다 보면 체력 소모가 상당히 많습니다. 세상 모든 것이 체력이 안 되면 부정적인 생각이 들기에 체력 관리를 못하면 강사 일을 오래 못한다고 봐야 됩니다. 특히 오래 서 있기 위해 하체 운동을 많이 해야 합니다. 그래서 필자가 자기관리를 강조하는 것입니다.

- 하루 200~500㎞ 운전 피로

멀리 가지 않는 한 하루 한 건 정도 하면 왕복 200㎞이
고 두 건이면 500㎞가 넘습니다. 강의가 잘 연결되어
가까운 거리에 잡히는 경우는 열 번 중 한 번 있을까
말까 합니다. 운전을 하다 지쳐서 강의 때 열정이 안 나
오는 경우도 많습니다. 체력이 있냐 없냐에 따라 강의
열정이 달라진다는 것 명심하세요.

- 담당자, 학습자, 지인 강사들로 인한 멘탈 붕괴
빛이 있으면 그림자가 있습니다. 담당자, 학습자에게 강
의 끝난 후 피드백을 듣습니다. 이런 상황은 드물지만
강의가 그게 뭐냐고 면전에 두고 말하는 경우는 있습니
다! 강의가 잘되었는지 안 되었는지 강의 평가로 인해
하루의 기분이 좌지우지되는 경우도 있고, 담당자가 갑
이고 강사는 을이기에 담당자의 무시하는 말투로 인해
멘탈이 붕괴되기도 합니다.

- 병아리 눈물만큼 강사료 그럼에도 불구하고 감사해야
되는 현실
교육 예산에 강사료가 정해져 있습니다! 강의에 비해서
강사료가 너무 적어 실망하는 경우가 다반사입니다. 그
래도 강의할 수 있는 게 어디냐! 속으로 되새기며 감사
해야 되는 현실입니다. 강사료를 어떻게 하면 올릴 수
있을까? 항상 고민만 하면서도 현실적으로는 힘들 것을

알기에 병아리 눈물만큼의 강사료라도 열심히 해야 됩니다! 이런 상황들 속에서도 희망을 놓지 않고 공부, 변화, 성장하기 위한 치열한 몸부림을 해야 되는 강사 현실.

- 시대 흐름에 맞는 콘텐츠 공부, 개발에는 끝이 없음
청중과 학습자는 많은 강의를 듣습니다. 지금 어마어마한 정보들이 SNS를 통해 접하고 있는 학습자들 상황 속에서 뻔한 내용이 아닌 신선한 강의안을 만들기 위해 자료 수집을 SNS보다는 책에서 찾아야 되는데 책 읽을 시간이 부족해서 강의안 그대로 글씨만 바꿔 재탕 3탕 4탕 하고 책에서 SNS 속에서 싱싱한 강의 콘텐츠를 찾기 위한 노력이 힘들기에 안주하다 보니 강사 직업에 흥미를 잃어 시대에 맞는 강의 개발이 두려워지는 현실.

- 경제적 어려움 속에서도 이미지 관리
강사라는 직업이 연예인 직업처럼 빈부의 격차가 너무 심하지만 그럼에도 불구하고 강단에 서는 직업이라 이미지 관리를 위한 투자를 꾸준히 유지해야 한다.

- 지인들의 시기 질투와 잘 나가는 줄 아는 착각
SNS 속에서 강사들의 강의에 다녀온 사진을 보면서 좋아요! 를 누르면서도 속으로는 질투가 생깁니다. 지인들

은 강사라는 직업이 이미지가 좋고 잘나가는 줄 알아
이것저것 부탁하는 경우가 빈번하다.

- 강사 80% 생계형 강사
강사 현실은 솔직한 말로 빛 좋은 개살구라는 말이 맞
습니다. 보이는 것에 비해 진짜 돈이 안 된다는 것이죠.
하루하루 벌어서 먹고사는 강사들이 80%입니다. 강사료
가 한 달만 늦게 들어와도 마이너스가 됩니다. 강사료가
기본 한 달 기준으로 들어오는데 에이전시의 소개로 들
어오는 것은 달로 따지면 건당 한두 달 정도는 걸립니
다.

제가 이렇게 어렵고 힘든 상황을 말씀드리는 이유는 마
음을 단단히 먹고 시작해야 하기 때문입니다. 경력 있는
강사 중 이런 내막을 아는 강사는 많지 않습니다! 이런
내용을 들으면 자신감이 떨어지는 강사분도 있을 거고
자신감이 더 생기는 강사도 있을 겁니다. 강사의 현실을
냉정하게 봐야 됩니다. 아니다 싶으면 바로 내려놓고 방
향을 다른 쪽으로 잡아야 합니다. 그것이 현명한 겁니
다. 한 우물만 판다고 되는 세상이 아닙니다.
《나다운 강사1》

★ 강사는 백조다! ★

강사이미지

우아하게 호수를 헤엄쳐 다니는 백조가 사실은

풀밑에서는 쉴 새 없이 발을 움직인데!

강사현실

- 《나다운 강사 2》 최보규 -

★ 강사는 백조다! ★

★ 강사 이미지 화려함 뒤에 현실 속 ★

1. 2~3시간 서 있다 보니 저질 체력으로 인한 자괴감.

2. 하루 200~500km 운전 피로.

3. 담당자, 학습자, 지인 강사들로 인한 수시로 멘탈 붕괴.

4. 병아리 눈물만큼 강사료 그럼에도 불구하고 감사해야 되는 현실.

5. 시대 흐름에 맞는 콘텐츠 공부, 개발 끝이 없음.

6. 경제적 어려움 속에서도 이미지 관리.

7. 지인들의 시기 질투와 잘나가는 줄 아는 착각…

8. 강사 80% 생계형 강사.

- 《나다운 강사 2》 최보규 -

리더, 코칭 전문가, 교육자(강사, 교수, 선생님), 한 분야 전문가들은 마인드컨트롤을 잘하기 위해서는 자신 분야의 현실을 냉정하게 알아야 한다. 마인드컨트롤의 시작은 자신, 자신 분야 장점, 단점, 트랜드, 현실을 제대로 알고 있을 때다.

리스크가 무언지 제대로 인지가 안 된 상태에서는 마인트컨트롤이 잘되지 않는다. 당연한 것이다. 자신 분야 리스트가 뭔지도 모르는데 어떻게 상황을 직시하고 극복 할 수 있는 방법을 찾을 것인가? 리스크를 100% 알수는 없겠지만 현실적인 리스트를 제대로 인지를 한다면 마인드컨트롤이 되는 것이다.

물 위에서 보여지는 백조[리더, 코칭 전문가, 교육자(강사, 교수, 선생님), 한 분야 전문가들]의 모습은 삼성(진정성, 전문성, 신뢰성), 자자자자멘습긍, 인자함, 존중, 배려, 겸손, 인성, 비전, 배움, 변화, 성장, 열정, 꾸준함, 긍정에너지, 행복...등이 느껴져야 한다.

물 밑에 백조의 발은 자신, 자신 분야, 자신을 따르는 사람을 위해서, 학습자를 위해서, 조직체 원들을 위해서, 더 나아가 많은 사람들에게 선한 영향력을 주기 위해서 "당신은 제가 좋은 사람이 되고 싶도록 만들어요."라는 말이 나올 수 있도록 솔선수범해야 한다.

진정한 백조[리더, 코칭 전문가, 교육자(강사, 교수, 선생님), 한 분야 전문가들]가 되었을 때 자신 마인드컨트롤이 되어 자신을 따르는 사람, 학습자의 마인드컨트롤을 해 줄 수 있는 것이다.

리더, 코칭 전문가, 교육자(강사, 교수, 선생님)
한 분야 전문가들은 백조가 되어야 한다!
그 누가 나의 시행착오, 대가 지불, 인고의 시간
슬픔, 아픔을 모를지라도 묵묵히 변화, 성장해야 한다.
이것이 백조의 삶이고 의무다!

우아하게 호수를
헤엄쳐 다니는 백조가 사실은

물밑에서는 쉴새 없이 발을 움직인다!

· [출간 한《나다운 방탄 리더십》책 내용을 방탄 동
기부여 교육 PPT로 디자인]

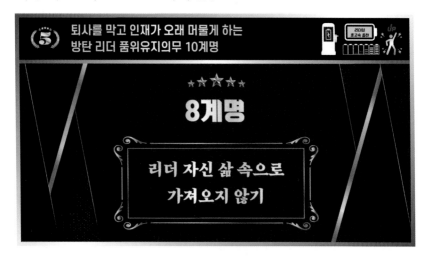

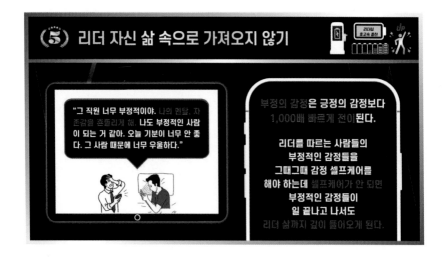

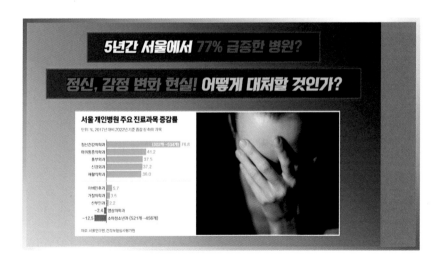

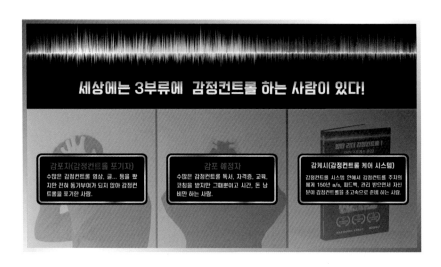

세상에는 3부류에 감정컨트롤 하는 사람이 있다!

감포자(감정컨트롤 포기자)
수많은 감정컨트롤 영상, 글... 등을 봤지만 전혀 동기부여가 되지 않아 감정컨트롤을 포기한 사람.

감포 예정자
수많은 감정컨트롤 독서, 자격증, 교육, 코칭을 받지만 그때뿐이고 시간, 돈 낭비만 하는 사람.

감케시(감정컨트롤 케어 시스템)
감정컨트롤 시스템 안에서 감정컨트롤 주치의에게 150년 a/s, 피드백, 관리 받으면서 자신 분야 감정컨트롤을 초고속으로 준비 하는 사람.

- 방탄 리더십 교안 PPT 목차 5-11
· [출간 한 《나다운 방탄 리더십》 책 내용]

9. 코칭 내용 보완 유지

- 개인정보보호법

개인정보보호범
제59조(금지행위)개인 정보를 처리하거나 처리하였던 자
는 다음 각 호의 어느 하나에 해당하는 행위를 하여서
는 아니 된다.

1. 거짓이나 그 밖의 부정한 수단이나 방법으로 개인정보를 취득하거나 처리에 관한 동의를 받는 행위

2. 업무상 알게 된 개인 정보를 누설하거나 권한 없이 다른 사람이 이용하도록 제공하는 행위

3. 정당한 권한 없이 또는 허용된 권한을 초과하여 다른 사람의 개인 정보를 훼손, 멸실, 변경, 위조 또는 유출하는 행위

제71조(벌칙)

5년 이하의 징역 또는 5천만 원 이하의 벌금에 처한다.

이름, 주민등록번호, 주소, 전화번호, 가족관계 등 개인 신상 등 코칭 내용도 개인정보보호법 개념으로 보완 유지를 잘해야 한다.

사소하지 않지만 대부분 사소하게 생각하고 방치를 하고 별대수롭지 않게 노출을 한다. 자신 개인정보가 소중하듯 상대방 개인정보도 소중하다. 내로남불하는 사람들이 너무도 많다. 특히 sns에서 대수롭지 않게 지인들과 찍은 가족사진, 자녀 사진, 지인 사진, 장소 사진...등 원치 않는데 노출을 시키는 경우가 빈번하다. 자신 sns에 업로드 하기 위해 가족, 자녀, 친구, 지인들에게 동의를 구했는가? 누군가는 sns노출을 싫어한다는 것을 알아야 한다.

"개인 sns인데 그렇게까지 해야 되나요?" 물어 보는 사람들이 있다. 당신이 일반 사람이라면 상관하지 않겠다. 다만 리더, 코칭 전문가, 교육자(강사, 교수, 선생님), 한 분야 전문가라면 영향력이 있는 위치에 있다면 사소한 것이라도 주의를 해야 한다. 전문가가 되려면 "그렇게까지 해야 되나?" 생각이 들 때 "그렇게까지 안하면 안된다."라는 태도로 사소한 것들을 지키는 프로정신이 있어야 한다.

모든 결과물은 사소한 것에서 시작되어 만들어지고 모든 실패는 사소한 것을 지키지 않아서 발생한다.

물고기를 잡는 시간(리더십코칭전문가가 일하는 시간)도 낚시고 물고기를 잡지 않는 시간(리더십코칭전문가가 일하지 않는 평상시 시간)도 낚시다.

리더십코칭전문가가 생활 속에서 SNS에 사진 한 장 올릴 때 신경을 쓰는 행위도 개인정보를 보호하는 것이다. 이런 사소한 개인정보를 지키려고 하는 태도가 나올 때 자신의 개인정보, 가족, 지인, 타인의 개인정보를 보호할 수가 있다.

- 방탄 리더십 교안 PPT 목차 5-11

· [출간 한《나다운 방탄 리더십》책 내용을 방탄 동기부여 교육 PPT로 디자인]

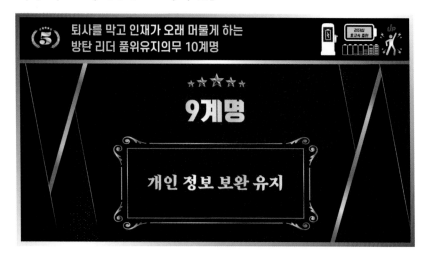

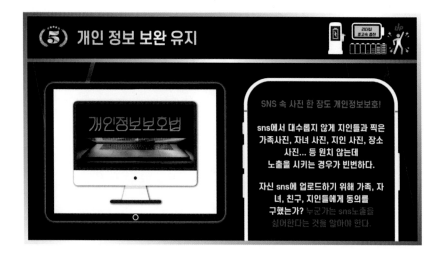

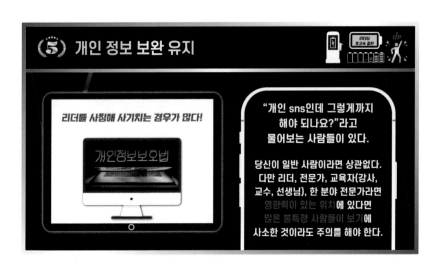

- 방탄 리더십 교안 PPT 목차 5-12
· [출간 한 《나다운 방탄 리더십》 책 내용]

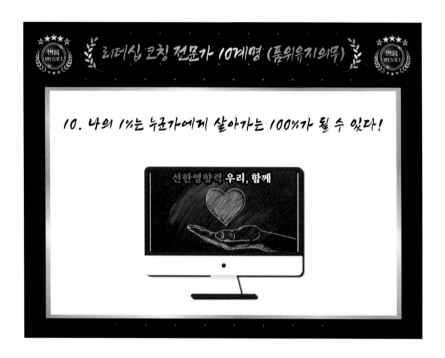

10. 나의 1%는 누군가에게 살아가는 100%가 될 수 있다.

- 한 사람의 인생을 바꿔 줄 수 있다면 그 가족까지 인생을 바꿔 줄 수 있다.

코칭 전문가의 코칭 한번이 코칭 받는 사람의 인생을 바꿔 줄 수 있다. 그 가족까지 인생을 바꿔 줄 수 있다는 책임감과 자부심이 있어야 한다.

한 사람의 가치관을 바꾸는 게 쉽지 않다. "기계는 고쳐 써도 사람은 고쳐 쓰는 게 아니다."라는 말이 그냥 나온 것이 아니다. 20,000명 심리 상담, 코칭 하면서도 뼈저리게 느끼고 있는 것이다. 사람을 바뀌게 하려면 사람의 마음을 열어야 한다. 자신 스스로가 "바뀌어야겠다." 마음을 먹지 않으면 바뀌지 않는 것이 사람의 심리이다.

사람이 스스로 "바뀌어야겠다."라는 마음을 들게 하는 최고의 방법이 무엇인지 아는가? 세계 최고의 방법이 아닌 유일한 방법을 알려 주겠다. "당신은 제가 좋은 사람이 되고 싶도록 만들어요."라는 마음을 먹게 하는 것이다.

"당신은 제가 좋은 사람이 되고 싶도록 만들어요." 이런 마음을 들게 하는 방법은 "나의 1%는 누군가에게 살아가는 100%가 될 수 있다."라는 태도로 사소한 것이라도 생활 속에서 솔선수범을 해야 한다. 그래야만 리더, 코칭 전문가, 교육자 위치가 빛이 난다.

"위치가 사람을 만든다."라는 말이 있다. 하지만 이 말은 20세기 말이다. 21세기라면 다르게 해석해야 한다. "위치가 사람을 망친다. 위치가 사람을 변질 되게 한다. 위치가 사람을 악하게 만든다. 위치가 사람을 현혹 시킨다." 오너리스크가 판을 치는 세상이기에 자신의 위치에서 변질, 삼혹(유혹, 현혹, 화혹: 화려함에 혹하다)되지 않기 위한 학습, 연습, 훈련을 끊임없이 해야 한다.

– 눈에 보이지 않는 가능성을 보이게 하는 방법!

다음은 보이지 않는 가능성을 보일 수 있게 하는 방법이 무엇인지 깨닫게 해주는 스토리텔링이다.

어떤 사람이 지혜를 얻기 위해 현자를 찾아가 제자가 되었다. 그런데 스승은 3년이 지나도록 아무것도 가르쳐 주지 않았다. 불만에 찬 제자기 스승에게 따졌다.

"스승님, 이제 뭐 좀 가르쳐줘야 할 거 아닙니까?"

스승은 대답 대신 질문을 하나 던졌다.

"저기 벽돌 창고 안에 많은 금괴가 있다고 하자. 그걸 어떻게 꺼낼 수 있겠는가?"

제자는 망설이지 않고 대답했다.

"그야 망치로 벽돌을 깨뜨려야죠."

"맞아, 금괴를 얻으려면 그렇게 해야지. 그러면 하나 더 묻겠다. 여기 있는 독수리 알에서 생명을 꺼내려면 어떻게 해야 할까?"

제자는 잠시 고민하더니 이렇게 말했다.

"따뜻하게 품어주고 오래 기다려야죠."

<따뜻한 하루>

리더, 코칭 전문가, 교수(강사, 교수, 선생님), 한 분야 전문가들은 조직체 원들, 학습자의 가능성을 끌어내기 위해서는 꾸준한 a/s, 피드백, 관리를 통한 기다림이 있어야 한다. 사람마다 느끼는 것, 받아들이는 것이 달라 동기부여가 다르기에 기다림은 가장 기본 스펙이다. 그래서 필자는 리더십코칭전문가 양성 교육을 하고 난 뒤 150년 a/s, 피드백, 관리를 의무적으로 해주는 것이다.

리더, 코칭 전문가, 교수(강사, 교수, 선생님), 한 분야 전문가라면 조직체 원들, 학습자, 제자에게 청출어람 정신이 있어야 한다.
청출어람이란? 제자가 스승보다 더 낫다. 모든 조직체 원들, 학습자, 제자를 청출어람 정신으로 할 수는 없다. 하지만 인재라 생각이 든다면 스승을 능가하는 제자를 양성하는 것이 스승의 신념이 되어야 한다.
하지만 안타깝게도 20,000명 심리 상담, 코칭을 하면서 알게 된 것은 제자를 경쟁상대로 생각하는 리더, 코칭 전문가, 교수(강사, 교수, 선생님), 한 분야 전문가들 대부분이다. 당연히 최고 선의의 경쟁상대는 스승은 제자이며, 제자는 스승이다.

선의의 경쟁상대가 아닌 시기, 질투, 자신 밥그릇을 뺏어가는 사람으로 받아들이는 스승들이 너무도 많다. 제자도 그러면 안 되겠지만 스승이 소심하고, 내성적이며 밴댕이 소갈딱지면 그보다 무서운 게 없는 것이다. (밴댕이 소갈딱지: 아주 속이 좁은 사람을 두고 밴댕이라고 하는데, 이보다 더 좁아서 밴댕이 속의 아주 작은 부스러기 같은 마음 쓰임이를 뜻함) 청출어람 정신이 있어야만 조직체 원들, 학습자, 제자의 가능성을 끌어낼 수 있는 것이다.

리더, 코칭 전문가, 교수(강사, 교수, 선생님), 한 분야 전문가가 자존감, 멘탈이 낮으면 가장 무능한 사람이다. 그래서 필자가 리더 자존감, 리더 멘탈, 리더 습관, 리더 자기계발을 강조 또 강조 하는 것이다.

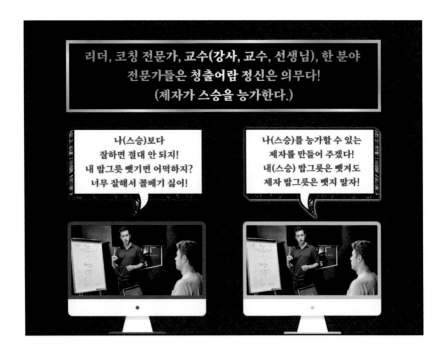

- 우리, 함께라는 가치 1%가 10만 명을 변화시킨다.

다음은 좌절, 실패, 고난, 역경, 불행이 왔을 때 극복하는 방법을 깨닫게 해주는 스토리텔링이다.

30살에 빚 '17억' 내가 죽으려던 결심을 멈춘 이유!
백종원은 1966년 충남 예산군에서 출생했습니다. 그는 어린 시절부터 증조할아버지의 피를 이어받아 장사꾼으로서의 재능과 꿈을 보이기 시작했다고 합니다.

그는 연세대학교를 입학한 뒤, 사업을 하기엔 이른 나이인 대학교 1학년 때부터 호프집을 인수해 가게를 운영하기 시작했는데요. 이때부터 성공의 맛을 조금씩 보기 시작했습니다.

대학교를 졸업한 그는 육군 간부 식당 관리 장교로군 생활을 마치게 되고, 1993년 전역 후 사회 초년생이었던 그는 다시 요식업에 뛰어들게 됩니다. 하지만 그때... 요식업으로 실력을 쌓아가고 있던 백종원의 눈에 들어온 또 다른 사업이 하나 있었는데 그것은 바로 목조주택 사업이었습니다.

그는 갑자기 여기에 홀린 듯이 투자하게 되었는데 이 결정으로 인해 그는 인생 최대의 위기를 맞이하게 됩니다. 1997년 IMF 사태로 투자하던 목조주택 사업은 물거품을 넘어 17억의 빚이라는 어마어마한 책임을 백종원에게 안겨다 주었는데 지금 시대의 17억도 어마어마한데 24년 전의 17억 상상이 갑니까? 이런 무시무시한 빚을 마주하게 된 젊은 나이의 백종원은 인생을 포기하기로 마음먹고 주변 사람들에게 부끄러운 마음에 가까운 해외인 홍콩으로 건너가서 생을 마감하기로 결심합니다.

바다에 빠질, 고층에서 뛰어내릴지, 고민하던 그는 홍콩에서 무심코 음식을 먹게 되었는데 갑자기 그 신기한 맛을 통해 사업 아이템이 떠올라 당장 내일부터 다시 처음부터 차근차근 시작해보자는 마음으로 한국으로 귀국했다고 합니다.

그 이후 그는 1998년 한신 포차, 2005년 새마을 식당, 2006년 백 다방, 홍콩반점 등 오늘날까지도 여전히 사랑받고 있는 대박 브랜드들을 성공하고 유지시켜 17억의 빚을 조금씩 청산하고 최정상의 자리에 오르게 되었습니다. 그가 이런 최악의 시련을 극복하는 것을 넘어 오히려 기회 삼아 더욱 큰 성공을 거둘 수 있었던 데에는 그의 인생에 대한 몇 가지 태도가 큰 영향을 미쳤던 것으로 보입니다.

1. 그는 사람이 실패했을 때 어디로 초점을 두는지를 스스로 선택할 수 있고, 그 선택에 따라 결과는 본질적

으로 "달라진다"라고 말합니다. 신이 있다면, 우리의 의지와 상관없이 어떤 시련이든 부여할 수 있지만, 그 시련을 대하는 우리의 태도만큼은 그 누구도 정해주지 못한다. 우리에게는 자유의지가 있다.

백종원은 큰 빚을 갚아나갈 희망과 원동력을 내가 그래도 조금씩 이자를 감당하기 시작한다는 그 작은 사실에서부터 얻었다고 합니다.

절망 대신 조금이라도 찾아볼 수 있는 작은 희망이라도 그곳에 시야를 두고, 초점을 맞추기를 스스로 "선택"한 것입니다.

2. 가장 중요한 것은 "가치"라는 것이다.

그리고 그 가치를 훼손하지 않기 위해 초심을 잃지 말고 서두르거나 욕심을 내면 절대 안 된다는 것을 그는 강조합니다. 그는 그때의 실패를 교훈 삼아, 맛있는 음식을 누구나 쉽게 접근하고 즐길 수 있도록 도와주자는 이 가치를 지금도 초심을 잃지 않은 채 간직하고 모든 일에 임하고 있다고 합니다.

그가 운영하는 500만 채널 백종원의 요리 비책 이 사실 적자라는 사실을 알고 있었나요?

많은 사람들에게 자신의 가치를 보다 더 좋은 퀄리티로 실현하기 위해 많은 투자를 하느라 자신에게 돌아오는 수익은 "적자"라고 합니다.

머리부터 발끝까지 사업가인 그가 당장의 수익보다 자신이 실현하고자 하는 가치에 훨씬 큰 우선순위를 두고 있는 것입니다.

하지만 이 적자를 통한 가치 실현이 장기적인 관점에서는 결국 자신에게 더욱 큰 성공으로 다시 돌아올 것이라는 사실을 백종원은 확신하고 있는 게 아닐까요?

<유튜브 멘탈케어::힐링 심리학 채널::>

백종원 대표는 힘든 시기를 견디었다는 표현은 적절하지 않다. 힘든 시기를 시간의 흐름 속에서 "시간이 해결해 주겠지!"라는 태도로 아무것도 하지 않고 견디었던 게 아니다. 시행착오, 대가 지불, 인고의 시간을 통해 극복한 것이다. 여기서 잘 봐야 한다. 리더, 코칭 전문가, 교육자(강사, 교수, 선생님) 한 분야 전문가라면 "시간이 해결해 줄 겁니다." 라는 초등학생도 말할 수 있는 대책 없는 말을 하면 안 되는 것이다. 인생이란 시간이 해결해 주는 상황은 10%고 시간이 아닌 극복하기 위한 행동을 해야지만 해결이 되는 것이 90%라는 것을 알아야 한다.

자신하는 일도 많은데 200부작을 마지막으로 했던 '골목식당' 힘들고 어려운 소상공인들을 위한 함께 잘 되고 잘살자 프로그램! 적자인데도 운영하는 <백종원> 유튜브를 할 수 있는 이유들이 백종원의 "함께 잘 되고 잘 살자" 라는 가치가 있는 것이다.

게으르고, 나태하고, 열등감, 자격지심, 자존감 낮고, 멘탈이 낮은 사람들은 이런 말로 비꼬아서 말을 한다. "성공했으니까 이미지 개선, 자신 회사 홍보하려고 말만 번지르하게 포장해서 프로그램 나오는 거다." 필자가 백종원이 아니기 때문에 무엇이 진실인지는 모른다.

다만 의심을 하든, 좋게 보든, 자신, 자신 분야에 도움, 변화, 성장하는데 이득이 되는 쪽으로 생각해야 되는 게 정신적으로 편하지 않을까? 따지고 의심하며 "아으! 잘 되는 사람 보니 배아프다!" "백종원 저 사람 다른 문제가 있을 거야!"라는 악담하는 태도로 세상 탓, 부모 탓, 인맥 탓, 환경 탓, 자녀 탓, 스펙 탓을 하면 자신에게 무엇이 도움이 되겠는가? 백종원을 좋게 보라는 것도 아니고 의심하며 보라고 하는 것 또한 아니다. 있는 그대로 배울 게 있는지 자신, 자신 분야에 도움이 되는 것이 있는지만 보면 되는 것이다.

"함께 잘 되고 잘 살자" 라는 가치가 나의 1%는 누군가에게는 살아가는 100%가 될 수 있다는 의미다. 사소한 것이라도 자신의 이득만 생각하며 살아가는 가치보다는 사소한 것이라도 "함께 잘 되고 잘 살자" 라는 태도, 가치가 있을 때 자신이 하는 일도 잘 되고 좋은 결과를 만들어 낸다. 20,000명 심리 상담, 코칭 해보면서 "함께 잘 되고 잘 살자"라는 태도가 있는 사람들이 행복한 인생을 살고 삶의 질이 높다는 것을 알았다. "함께 잘 되고 잘 살자" 라는 가치는 사소한 나눔에서부터 시작한다.

충청북도 단양군 영춘면 백자리 132-1번지에 있는 구인사(救仁寺)라는 절이 있다. "한가지 소원은 이룰 수 있다."라는 말이 있을 정도로 유명한 절이며 죽기 전에 꼭 가봐야 할 국내 여행지에 선정이 되었다. 구인사 1대 큰스님의 스토리다.

절 운영을 위한 회의에서 한 스님이 1대 큰 스님에게 절 운영에 도움이 되는 말을 한다.

▷ 스님: 실질적으로 절 운영에 도움이 되는 방법은 관광객들이 많이 오기에 관광객들에게 절 입장료를 받으면 될 거 같습니다.

▶ 1대 큰 스님: 스님은 집에 들어갈 때 입장료 내고 집에 들어갑니까?

리더십 코칭 전문가라면 '스님은 집에 들어갈 때 입장료 내고 집에 들어갑니까?'라는 말을 듣고 리더 습관

3why? 기법을 접목을 해서 리더십 코칭 전문가의 생활 속에서 '스님은 집에 들어갈 때 입장료 내고 집에 들어갑니까?'라는 태도를 학습, 연습, 훈련해야 한다.

■ 리더 습관 블록 쌓기! 3why? 기법!

- 첫 번째 왜? 어떻게 1대 큰 스님은 '스님은 집에 들어갈 때 입장료 내고 집에 들어갑니까?'라는 말을 할 수 있었을까?
- 두 번째 왜? 평상시 어떻게 하면 '스님은 집에 들어갈 때 입장료 내고 집에 들어갑니까?'라는 태도 습관 블록을 쌓을까?
- 세 번째 왜? 지금 생활 속에서 사소하게 무엇부터 시작을 해야 '스님은 집에 들어갈 때 입장료 내고 집에 들어갑니까?'라는 태도 습관 블록을 쌓을 수 있을까?

종교적인 것을 떠나서 "함께 잘 되고 잘 살자!", "나의 1%가 누군가에게 살아가는 100%가 될 수 있다." "나눔"의 가치를 느낄 수 있는 스토리라고 말을 할 수 있을 것이다. 또한 감사가 넘쳐나야만 "함께 잘 되고 잘 살자" 가치가 만들어진다. 필자가 하고 있는 16가지 "함께 잘 되고 잘 살자"태도 습관 벤치마킹하자!

♥ 최보규 리더십코칭전문가의 "함께 잘 되고 잘 살자" 태도 습관!

1. 주말 톨게이트에서 통행료 받는 분에게 사탕 하나 챙겨주기.
2. 내가 자주 가는 장소에서 쓰레기 줍기.
3. 좋은 글, 좋은 정보 지인들에게 보내주기.
4. 만나는 사람들에게 작은 선물 챙겨주기.
5. 감사하다는 말을 했을 때 '감사에 감사하다.'라는 말을 하기.
6. 내 회사는 아니지만 누군가 말하기 전에 정수기 물통 교환해주기.
7. 쓰레기통 뚜껑 커피 자국 물티슈로 지워 주기.
8. 고마움 보답하고 싶다고 하는 분에게 진짜 그 고마움 보답하고 싶다면 자신보다 관심, 배려, 사랑이 필요한 사람에게 베푸는 것이 저에게 보답하는 길이라고 말해주기.
9. 만나는 사람들에게 행복을 주려고 노력하기
10. 오늘이 마지막 날인 것처럼 만나는 사람에게 최선을 다하기.
11. 전신기증 한 것이 사후에 160명 사람들에게 갈 거 생각하며 내 몸 더 관리하며 아끼기.
12. 심리 상담할 때 같이 아파하며 울어주기.

13. 마트에서 물건사고 계산 할 때 점원이 편하게 바코드를 찍을 수 있도록 구매한 모든 제품 바코드를 보이게 올려놓으니 점원이 하는 말 "마트 10년 동안 고객님 같은 분은 처음이네요. 바코드가 보이게 해줘서 너무 편했습니다. 너무 감사합니다."라는 말에 "별말씀을요." 말해주며 서로 행복해하기.

14. 오손오손(운전석 오른 손으로 열기), 왼손왼손(조수석 왼손으로 문 열기) 스티커로 지인의 자녀 자동차 사고예방 해주기.

15. 상대방 차에 탈 때 신발 털고 타기.

16. 등산할 때 정상까지 쓰레기 주우면서 가기.
(등산할 때 정상까지 쓰레기 주우면서 가는 행동을 보고 지인이 쓰레기 줍는 행동을 꾸준히 따라 한다.)

17. 편의점 범죄 하루 42건이고 15,000건이다. 편의점에서 일하시는 분들 고충을 덜어 주기 위해 박카스 사서 주기.

<최보규 방탄리더십 창시자>

다음은 필자가 심리상담사 재능기부를 시작할 때 스토리다. 매년 12월 말이 되면 사랑의 전화 센터에서는 봉사자의 밤이라고 1년에 한 번 심리 상담사를 위한 행사를 한다. 필자도 처음으로 참석을 해서 행사를 하고 저녁밥을 먹는 시간이었다. 우연히 앉은 자리 맞은편에 심

리상담사 경력 30년 차 대 선배님을 뵙게 되었다. 이런 저런 이야기를 하다가 가장 궁금한 게 있다고 하면서 질문을 했다.

"전 이제 1년 차인데도 힘드는 데 30년을 어떻게 할 수 있었습니까? 그 비결이 무엇인지요?" 30년 차 선배님은 세상 행복한 표정(어떤 인생을 살고 있기에? 이렇게 밝은 표정이 나올 수 있을까? 한 번도 보지 못한 표정이었다.)으로 "그 비결은 내가 얻는 게 더 많아서 30년 동안 할 수 있었습니다." 순간 잘못 들은 줄 알았다. 얻는 게 많다니? 봉사, 재능 기부의 이론은 내가 얻는 것보다 나누고 도움 주는 게 더 많다는 것으로 알고 있는데 그래서 다시 물어봤다.

"네? '얻는 게 많다.'라고 하셨는데 구체적으로 말씀을 해줄 수 있는지요?" 선배님은 다시 세상에서 가장 행복한 사람 표정을 지으면서 "힘들고 어려운 사람들 상담을 하다보면 내 걱정, 고민, 스트레스들은 이 사람들의 비하면 행복한 걱정, 고민이구나. 상대적 감사, 상대적 행복을 느끼기에 얻는 것이 많습니다." 순간 피카츄 100만 볼트 전율이 머리부터 손끝, 발끝까지 온몸에 펴지며 지금까지 살면서 한 번도 느껴보지 못한 행복을 느낄 수 있었다.

세상에서 가장 행복한 표정이 나올 수밖에 없는 이유가 감사가 넘쳐나서였다는 것을 알았다.

감동 집중호우를 받아 감동이 넘친 상황에서 30년 차 선배님의 마지막 말인 "내가 어려운 사람을 돕는 게 아니라 어려운 사람이 내게 도울 기회를 주는 것입니다. 이런 태도로 심리상담사를 하면 후배님도 30년 차까지 할 수 있습니다."라는 말에 감동 차르 봄바(사람이 많든 세계 최고의 수소폭탄)로 인해 그 순간 이순신 장군보다 더 존경하는 사람이 되었다. 감사도 수준이 있는 거 아는가?

1차원 조건 감사(일이 잘되면)
2차원 결과적 감사(일이 잘돼서)
3차원 무조건 감사(일이 잘돼도, 그럼에도 불구하고)
《평생감사》 전광

필자는 4차원 방탄 감사를 추가하고 싶다. 감사가 넘쳐나도 사람의 심리는 망각의 동물이다. 충전 된 감사가 4차 산업 시대, AI시대, sns시대, 메타버스 시대, 챗GPT 시대, 세상, 현실, 주위 사람들(또라이들)로 인해서 방전이 된다. 그래서 감사를 보호해야 되는 것이다.

4차 산업 시대에 맞는 4차 감사인 방탄 감사로 업데이트해야만 감사를 보호할 수 있다. 한마디로 방탄 감사는 현명한 감사, 올바른 감사, 변화, 성장, 배움의 행동이 동반되는 감사다.

4차원 방탄 감사는 "일이 잘 안돼도, 그럼에도 불구하고"라는 '3차원 무조건 감사'에서 감사만 느끼고 끝나는 게 아니다. 4차원 방탄 감사는 "원하는 결과가 나오지 않았지만, 결과 속에서 어제보다 0.1% 나음, 변화, 배움, 성장하기 위해 다시 행동할 수 있게 해줘서 감사합니다."라는 태도를 가지고 감사의 말과 행동까지 같이 하는 것이다. 4차원 방탄 감사가, 1차원, 2차원, 3차원 감사와의 가장 큰 차이는 자신을 위한 성장과 행동이 동반 되어야 한다는 것이다.

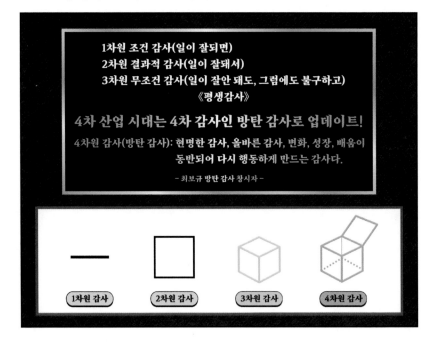

1차원 조건 감사(일이 잘되면)
2차원 결과적 감사(일이 잘돼서)
3차원 무조건 감사(일이 잘안 돼도, 그럼에도 불구하고)
《평생감사》

4차 산업 시대는 4차 감사인 방탄 감사로 업데이트!

4차원 감사(방탄 감사): 현명한 감사, 올바른 감사, 변화, 성장, 배움이
동반되어 다시 행동하게 만드는 감사다.

- 최보규 방탄 감사 창시자 -

1차원 감사   2차원 감사   3차원 감사   4차원 감사

다음은 "함께 잘 되고 잘 살자"라는 태도가 어떤 것인지 깨닫게 해주는 스토리텔링이다.

발명왕 보고 있나? 원조 발명왕은 나야 나! 노면 색깔 유도선 개발자 윤석덕 차장

안녕하세요. 차장님! 간단한 자기소개 부탁드립니다.
안녕하십니까! 도로 위의 스티브 잡스, 노면 색깔 유도선의 아버지 윤석덕 차장 인사드리겠습니다. 올해로 한국도로공사 입사 24년 차이고요. 지금은 안성 용인 건설 사업단의 설계 차장입니다.

노면 색깔 유도선이란 무엇인가요?
노면 색깔 유도선이란 도로에서 색상으로 차량을 유도하는 장치입니다. 우회전 시에는 분홍색 선을, 좌회전 시에는 초록색 선을 따라가시면 됩니다. 목적지가 다른 차량이 도로 위에서 서로 마찰 없이 운전할 수 있도록 도와주는 시스템이 바로 노면 색깔 유도선입니다.

노면 색깔 유도선을 만든 계기는 무엇인가요?
2011년 3월경에 안산 분기점에서 교통사고가 났습니다.

승용차와 화물차가 급차선 변경(위빙 weaving 현상)으로 인해 부딪힌 사고였는데요. 승용차 운전자분께서는 무사하셨지만 화물차 운전자분께서는 강성 벽체에 부딪혀서 사망하셨습니다.

이 사건이 발생하자 지사장님께서 "초등학생도 알 수 있는 대책을 만들어 와라"라고 요청하셨고요. '초등학생도 알 수 있는' 방법이 무엇일까를 고민하다가 귀가했는데, 자식들이 그림을 그리고 있었죠. 그걸 딱 보는 순간 '도로 위에다가 색칠을 하자!'라는 아이디어가 떠올랐습니다.

노면 색깔 유도선을 그린 후 사고 절감 효과가 있었나요?

사고 절감 효과의 경우 문서상으로는 50%에 달하고요. 2020년 현재는 2017년 대비 사고 비율이 23% 감소했다고 하더라고요. 안산 분기점에서 사고가 발생했던 2011년 대비해서는 사고율이 60%~70% 정도 감소하지 않았을까? 하고 생각하고 있습니다.

노면 색깔 유도선을 만들 때 우여곡절이 많았다고 하셨는데요. 교통전문가분들은 이런 이야기를 하셨어요. '법적으로 정해지지 않은 색을 당신이 색칠했어요. 그로 인해서 발생한 사고 그리고 그로 인해 발생한 물적 피해

에 대해서는 당신이 다 보상해야 할지도 모릅니다. 나라면 안 하는 게 나을 것 같습니다.'

그 이야기를 듣고서 완전히 좌절을 했죠. 그런데도 이렇게 색깔 유도선을 설치하면 교통사고가 감소하리라는 사실이 명확한데, 설치해야 한다는 생각이 들었습니다. 그리고 안산 분기점에서 교통사고 사망자분을 제가 구하지 못했다는 스스로에 대한 자괴감도 있었고요.

그래서 인천경찰청 11지구대 임병훈 경사님에게 전화를 드렸습니다. 노면에 색깔을 좀 칠하고자 한다고 말씀을 드렸어요. '여기도 안된다고 그러면, 할 수가 없겠구나'라는 생각도 있었죠. 그런데 임 경사님께서 "와 정말 좋은 생각이다. 우리가 검토해서 승인을 해보자!"라고 답변 주셨습니다.

경찰청의 도움을 받아 2011년 5월 3일, 색깔 유도선을 처음 칠할 때 노심초사했죠. 민원도 많았고요. 왜 도로를 막고 이상한 칠을 하느냐고요. 그래서 저는 죄송하다고 계속 사과를 했던 기억이 나네요.

노면 색깔 유도선을 만든 후 아쉬움이 있으시다면?
유도선의 색깔에는 각각 의미가 있습니다. 그런데 이 두

색깔의 용도를 뒤바꿔서 칠할 경우에 문제가 생기거든
요. 저는 우회전을 해야 하니까 분홍색을 따라갔는데 엉
뚱한 목적지로 가게 된다면 운전자는 화가 나겠죠.
이렇게 규정된 색깔을 쓰게끔 노면 색깔 유도선 설치
관리 설명서가 있는데도 불구하고 지켜지지 않는 경우
가 간혹 있어서 아쉽습니다.

더불어 제가 처음 칠한 초록색과 분홍색 외에 다른 색
의 유도선을 넣게 되면 운전자들에게 혼동만 줄 거라고
생각합니다. 현장에 계신 분들께서는 조금 번거로우시더
라도 국토부에서 만든 설치 관리 매뉴얼을 준수해셨으
면 좋겠습니다.

<국토교통부>

사람의 마음을 움직이는 기술
저는 런던 동쪽에 사는 가난한 벽돌공의 아들로 태어나
벽돌 나르는 일을 해왔습니다.
매일같이 벽돌로 나르는 생활이 죽을 만큼 하기 싫었지
만 벗어날 길이 없었죠. 만약 당신도 런던 동쪽에 살고
있었다면 아마 이런 이야기를 듣고 살았을 겁니다.
"부자가 되고 싶다고? 꿈도 꾸지마. 그건 다른 사람들이
사는 방식이지 우린 평생 그런 삶을 살 수 없어."
지금 생각해보면 인생은 그렇게 한계를 지을 필요가 없

었죠. 스스로 한계를 만드는 것은 세상에서 가장 멍청한 짓입니다. 전 제 한계를 벗어나겠다고 결심한 뒤로 지금의 스티브 심스가 될 수 있었죠.

제가 하는 모든 비즈니스의 핵심과 성공 비결은 단순합니다. 그저 사람에 집중하는 것이죠. 고객이 무엇에 열광하는지 그들에게 무엇이 중요한지 들어봐야 합니다. 질문만으로도 당신의 고객이 진정 원하는 것을 알아낼 수 있죠. 이는 윈-윈 할 수 있는 길을 찾아내는 가장 쉬운 방법입니다. 한번은 이탈리아의 근사한 호텔에 묵은 적이 있었습니다. 룸서비스를 주문하자 담당자가 칵테일 메뉴판을 방으로 가져다주더군요. 그런데 메뉴판 뒷면에 그 호텔에서만 갖고 있는 칵테일 제조 방법이 소개되어 있었습니다.

그래서 데스크로 내려가 물었죠. "혹시 칵테일 메뉴판을 받을 수 있을까요?" 직원은 "몇 개가 필요하신가요?"라고 물었고, 저는 500개라고 대답했습니다. 상식적으로 말도 안 되는 요구였기에 직원은 재고가 많지 않다며 저의 주문을 거절하였죠. 여기까지는 누구나 충분히 상상할 수 있는 반응입니다.

하지만 저는 매니저를 불러 이렇게 말했습니다. "이곳 칵테일 메뉴와 레시피에 깊은 인상을 받았습니다. 제 고객 500분에게 이 메뉴를 한 부씩 보내드리고 싶은데요. 메뉴판에는 이 호텔 이름이 그대로 명시돼 있을 것이고 발송은 제가 다 책임질 겁니다. 호텔에서는 아무것도 하실 필요가 없습니다. 이 일을 성사시키려면 어떻게 하면 됩니까?" 아마 매니저는 손님으로부터 말도 안 되는 부탁이나 듣고 있다는 기분을 느끼는 대신 500명의 영향력 있는 사람들에게 공짜로 광고를 하게 되었으니 오히려 자신의 능력을 발휘할 기회라고 생각했을 겁니다. 그리고 저는 제 고객들에게 기분 좋은 깜짝 선물을 할 수 있었죠. 당신이 원하는 일을 해야 할 타당한 이유를 설명할 수만 있다면 즉, 당신에게 도움이 되는 것만큼 상대방에게도 도움이 될 거라고 말할 수 있다면 그것이 바로 윈-윈입니다.

이러한 정신과 자신감 있는 태도로 협상에 들어간다면 대부분 놀라울 정도로 좋은 결과를 얻을 수 있습니다.

제가 비즈니스에 있어 세운 원칙이 있다면 언제 어떤 상황이든 관련된 모든 사람들에게 득이 되도록 만드는 것입니다. 현재 저에 성공이 그 고민의 결과입니다.

사람의 마음을 움직일 수만 있다면 그만큼 엄청난 기회를 얻을 수 있으니까요. 당신은 사람의 마음을 움직일 수 있습니까?

《사람의 마음을 움직이는 힘》〈유튜브 스터디언〉

도로를 달리다 보면 어느 순간부터 분홍색, 녹색 유도선이 보이는 것이었다. 필자의 습관 320가지를 보면 많은 것을 하고 있지만 못하는 것도 많다. 그중 하나가 길치다. 그래서 내비게이션 없으면 운전하기가 쉽지가 않다. 초행길을 가다 보면 길을 많이 헤매는데 노면 색깔 유도선이 생기면서 많은 도움이 되고 있다. 노면 색깔 유도선은 사람을 살리고 그 가족까지 살리는 생명 유도선이라고 말할 수 있을 것이다.

어떤 사람이 만들었는지 "노벨상감이다."라는 생각을 했었다. 최근에 <유 퀴즈 온 더 블록>프로그램에 나와 알게 되었다. 필자는 노면 색깔 유도선을 창시한 윤석덕 차장님이 평상시 생활 습관이 'win win 태도, 함께 잘되고 잘 살자'라는 태도가 있었기에 사람을 살리는 생명 노면 색깔 유도선이 나왔다고 생각한다.

리더십코칭전문가 양성할 때 늘 말하는 게 있다. 결과만 보고 느끼며 감동, 울림 받고 끝나는 것이 아니라 리더, 코칭 전문가, 교육자(강사, 교수, 선생님), 한 분야 전문가라면 "결과가 나오기까지 어떤 과정들이 있었기에 가능했을까?"라는 배움, 변화, 성장, 진취적인 의문점을 가져야만 자신, 자신 분야의 내공이 쌓이는 것이다.

리더, 코칭 전문가, 교육자(강사, 교수, 선생님), 한 분야 전문가여, 노면 색깔 유도선을 보면서 어떤 생각이 들었는가? "와 대박! 운전하는 데 도움이 많이 되어서 좋아요. 감사합니다." 순간 감사함을 느끼고 땡? 끝?

리더, 코칭 전문가, 교육자(강사, 교수, 선생님), 한 분야 전문가라면 자신 분야, 리더를 따르는 사람들, 조직체 원들, 더 나아가 사람들에게 선한 영향력을 주기 위해 내 분야를 "어떻게 하면 노면 색깔 유도선처럼 누구나 쉽게 알아볼 수 있게 할까?" 이런 태도가 나와야 한다. 노면 색깔 유도선은 사람의 마음을 얻는 win win 공식 중 한 가지이다. 자신 분야 win win 공식을 만들어야 한다.

- 누군가를 만나면 인생에 마이너스가 되고 누군가를 만나면 인생에 곱셈이 되는 사람이 있다!

다음은 만나는 사람이 누구냐에 따라서 자신 가치, 값어치, 인생이 달라지는지를 깨닫게 해주는 스토리텔링이다.

골동품과 귀한 예술품이 오가는 경매장에 아주 낡고 보잘것없는 바이올린 하나가 경매에 붙여졌습니다.

낡고 볼품없는 모습에 다들 심드렁했고 사람들은 가장 적은 돈으로 그 바이올린을 사려고 했습니다.

값은 조금씩 올라갔지만 3달러를 마지막으로 더 이상 경매를 원하는 사람이 없었습니다.

그런데 한 노인이 앞으로 걸어 나왔습니다. 노인은 자신의 손수건을 꺼내 보물을 다루듯 바이올린 구석구석에 있는 먼지를 털고 닦았고 현들을 조여 음을 맞추더니 사람들을 향해 연주를 시작했습니다.

낡은 악기로부터 절묘한 선율은 청중을 황홀하게 했고 매혹시켰습니다. 아름다운 멜로디가 끝났을 때 방안은 감동의 박수갈채가 가득 울렸고 경매는 활기를 띠기 시작했습니다. 10달러, 100달러 사람들은 진지하게 경매에 임했고 결국 3천 달러에 낙찰되었습니다.

　-미국의 오래된 고전 <거장의 손이 닿을 때>라는 시-

볼품없는 바이올린이 사람을 잘 만나서 가치가 올라가듯이 사람도 더욱 더 어떤 멘토, 전문가 만나느냐에 따라서 가치가 10배, 100배, 1,000배... 가 상승하여 인생이 바뀌는 것이다.

함께 있으면 가치가 떨어지는 사람이 있고 함께 있으면 가치가 올라가는 사람이 있다. 그 차이점이 무언지 아는가? 그 사람 내공의 차이다. 포노사피엔스 전에는 한 분야 전문가를 직접적, 간접적으로 만나기가 쉽지 않았다. 지금은 유튜브만 보더라도 각 분야 전문가들을 쉽게 접할 수 있는 환경이 되었다. 네이버 블로그는 비전문가, 유튜브는 전문가라는 인식이 생겼다. 하지만 현실은 내공이 없는 전문가들이 많아졌다.

사람은 누구를 만나느냐에 따라 인생이 180도 달라진다는 것을 누구나 알 것이다. 하지만 사람을 보는 안목이 없다면 좋은 사람인지, 사기꾼인지, 자신을 잘 되게 이끌어 줄 사람인지 알 수가 없다.

20,000명 심리 상담, 코칭 하면서 알게 된 것은 99% 사람들이 공통적으로 바라는 것이 언제든지 자신 걱정, 고민을 털어놓고 삶, 인생, 자신 분야, 자자자자멘습긍 (자존감, 자신감, 자기관리, 자기계발, 멘탈, 습관, 긍정) 피드백 받을 수 있는 전문가를 원한다는 것이다. 정신적

주치의를 원한다는 것이다. 재벌들, 부자들, 성공자들, 스타들 옆에서 늘 케어해주는 주치의가 있듯 방탄자기계발사관학교 대표인 최보규 주치의는 교육생들의 자자자자멘습궁을 150년 a/s, 패드백, 관리를 해주기에 자부심이 대한민국 그 어떤 교육기관보다 최고다. 누구와 함께 할 것인가? 함께 하는 사람이 당신의 미래다! 함께 하는 사람이 당신의 인생을 좌우한다.

- 인생 3분의 2지점까지 미리 가 볼 수 있는 방법!

다음은 상담, 코칭이 얼마나 중요한지를 깨닫게 해주는 스토리텔링이다.

만세절벽!(자살절벽) 서태평양 사이판섬 북부 마피산(山)에 있는 만세절벽(자살절벽)이 있다.

제2차 세계대전 때 마피산까지 후퇴한 일본군과 민간인은 항복을 권하는 미군의 방송을 무시하고 이 절벽에서 전원 자살하였다.

현재는 꼭대기에 평화 기념공원이 조성되었고, 그 안쪽에는 그들의 넋을 추모하는 기념비가 세워져 있다.

1944년 7월 7일, 일본군은 자살 공격으로 전멸당하고, 미군의 제지에도 불구하고 노인과 부녀자 1,000여 명이

80m 높이의 절벽에서 몸을 날려 자살한 곳이다.
그들이 모두 '덴노헤이카 반자이(천황폐하만세)'를 외치며 죽었다는 데서 붙여진 이름이다.

<네이버 지식백과>

JTBC 드라마에서 나오는 <나의 해방일지> 대사다. TV에서 봤는데, 미국에 유명한 자살 절벽이 있대 근데 거기서 떨어져서 죽지 않고 살아남은 사람들 인터뷰를 했는데 하나같이 하는 말이...3분의 2지점까지 떨어지면, 죽고 싶게 괴로웠던 그 일이, 아무것도 아니었다고 느낀 데 몇 초 전까지만 해도, 죽지 않고 서는 끝나지 않을 것 같아서 발을 뗐는데, 몇 초 만에, 그게, 아무것도 아니었다고 느낀 데. 사는 걸 너무너무 괴로워하는 사람한테 1:1 상담은 절벽에서 떨어지지 않고, 3분의 2지점까지 미리 가보는 거다.

리더, 코칭 전문가, 교육자(강사, 교수, 선생님), 한 분야 전문가라면 조직체 원들, 학습자, 코칭 받는 사람의 인생 3분의 2지점까지 미리 볼 수 있게 해줘야 한다. 리더, 코칭 전문가, 교육자(강사, 교수, 선생님), 한 분야 전문가도 코칭으로 자신, 자신 분야 가능성이 없다고 하는 사람들에게 자신, 자신 분야 가능성 3분의 2를 미리 느낄 수 있게 하여 자신, 자신 분야 가능성을 폭발시켜 줄 수 있는 코칭 전문가가 되어줘야 한다.

자신의 코칭으로 자신, 자신 분야 잘 되는 모습을 미리 보게 해 줄 수 있는 코칭 전문가가 되어줘야 한다. 그 뿐만 아니라 나다운 인생을 살아갈 수 있는 모습을 미리 보게 해 줄 수 있는 코칭 전문가가 되어줘야 한다.

자신의 코칭으로 "당신은 제가 좋은 사람이 되고 싶도록 만들어요."라는 말을 들을 수 있는 모습을 미리 보게 해 줄 수 있는 코칭 전문가가 되어줘야 한다.

인생 3분의 2지점까지 미리 가 볼 수 있는 방법?

미국에 유명한 자살 절벽이 있대. 근데 거기서 떨어져서 죽지 않고 살아남은 사람들 인터뷰를 했는데 하나같이 하는 말이...3분의 2지점까지 떨어지면, 죽고 싶게 괴로웠던 그 일이, 아무것도 아니었다고 느낀 데. 몇 초 전까지만 해도, 죽지 않고 서는 끝나지 않을 것 같아서 발을 뗐는데, 몇 초 만에, 그게, 아무것도 아니었다고 느낀 데. 1:1 상담은 절벽에서 떨어지지 않고, 3분의 2지점까지 미리 가보는 거다.

리더, 코칭 전문가, 교육자(강사, 교수, 선생님), 한 분야 전문가라면 자신, 자신 분야 가능성이 없다고 하는 사람들에게 자신, 자신 분야 가능성 3분의 2를 미리 느낄 수 있게 하여 자신, 자신 분야 가능성을 폭발시켜 줄 수 있는 코칭 전문가가 되어 줘야 한다.

**평균 희망 은퇴 73세, 현실 은퇴 나이 49세!
100세 시대 언제까지 몸(노동)으로만
일해서 돈을 벌 것인가?**

세상, 현실 기준에서 스펙, 돈, 인맥, 자산 등이 없어서 100세까지 노동을 해야 되고 몸까지 아프면 더 답이 없는 상황! 젊을 때는 100가지 중 99가지를 할 수 있지만 나이 들면 100가지 중 99가지를 할 수 없다. 3고 시대, AI 시대, 챗 GPT 시대에 자신의 직업이 사라 질 수 있는 상황에서 어떻게 준비, 대비할 것인가?

 **방탄BOOK기술력
선택이 아닌 필수!**

ONLY ONE

방탄
BOOK
기술력

– 방탄 리더십 교안 PPT 목차 5-12

· [출간 한《나다운 방탄 리더십》책 내용을 방탄 동기부여 교육 PPT로 디자인]

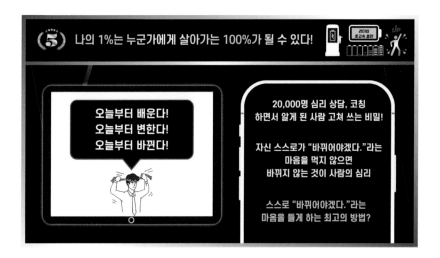

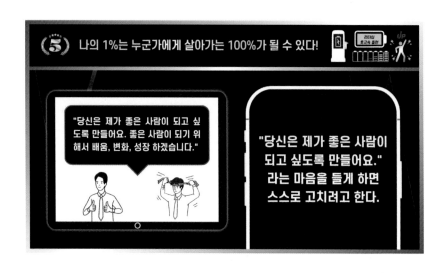

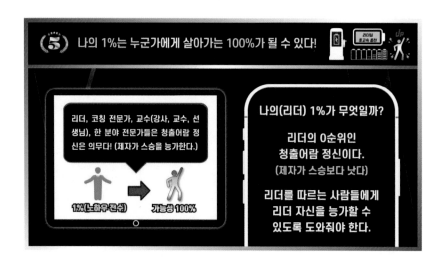

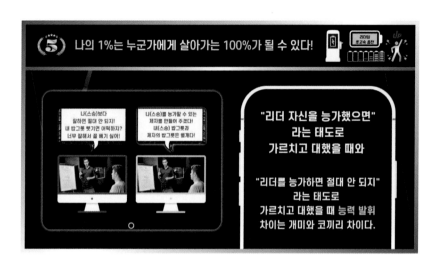

리더는 자신을 따르는 사람들에게 인생 3분의 2지점
(비전, 가능성)까지 미리 느끼게끔 해줘야 한다?

서태평양 사이판섬 북부 마피산(山)에
있는 만세절벽(자살절벽)있다.

리더의 상담, 코칭 능력이
중요한 이유 스토리텔링!

다음은
JTBC 드라마에서 나오는
<나의 해방일지> 대사다.

TV에서 봤는데, 미국에 유명한
자살 절벽이 있대 근데 거기서
떨어져서 죽지 않고 살아남은
사람들 인터뷰를 했는데
하나같이 하는 말이...

 리더는 자신을 따르는 사람들에게 인생 3분의 2지점
(비전, 가능성)까지 미리 느끼게끔 해줘야 한다?

3분의 2지점 (비전, 가능성)

리더의 상담, 코칭 능력이
중요한 이유 스토리텔링!

3분의 2지점까지 떨어지면
죽고 싶게 괴로웠던 그 일이,
아무것도 아니었다고 느낀데

몇 초 전까지만 해도, 죽지 않고 서는
끝나지 않을 것 같아서 발을 뗐는데,
몇 초 만에, 그게...
아무것도 아니었다고 느낀 데.

사는 걸 너무너무 괴로워하는 사람한테
1:1 상담은 절벽에서 떨어지지 않고
3분의 2지점까지 미리 가보는 거다.

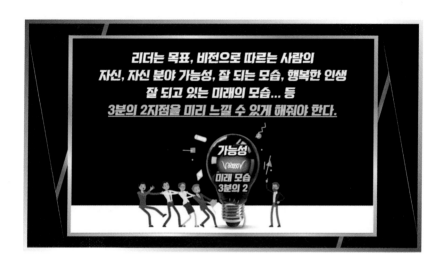

방탄 리더십
2시간 강의 강사료 200만 원
교육 PPT 교안 순서

★ ★ ★ ★ ★

방탄 리더십

방탄 리더 1명이
10만 명을 변화 시킨다!

① 방탄 리더십 라포 형성 기법, 마음을 여는 기법
② 방탄 리더십 고.틀.선.편 깨기
③ 방탄 리더십 서론
④ SPOT 기법, 강의 집중 기법, 강의 환기 기법
⑤ 방탄 리더십 본론
⑥ SPOT 기법, 강의 집중 기법, 강의 환기 기법
⑦ 방탄 리더십 결론
⑧ SPOT 기법, 강의 집중 기법, 강의 환기 기법
⑨ 방탄 리더십 총정리
⑩ 방탄 리더십 피크앤드법칙(The Peak End Rule)

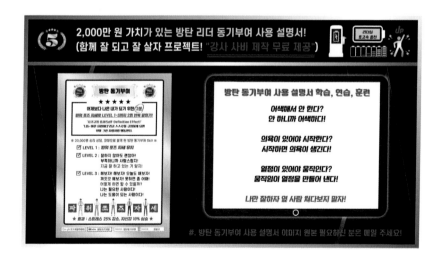

방탄 리더십
2시간 강의 강사료 200만 원
교육 PPT 교안 순서

★ ☆ ★ ☆ ★

방탄 리더십

방탄 리더 1명이
10만 명을 변화 시킨다!

① 방탄 리더십 라포 형성 기법, 마음을 여는 기법
② 방탄 리더십 고.틀.선.편 깨기
③ 방탄 리더십 서론
④ SPOT 기법, 강의 집중 기법, 강의 환기 기법
⑤ 방탄 리더십 본론
⑥ SPOT 기법, 강의 집중 기법, 강의 환기 기법
⑦ 방탄 리더십 결론
⑧ SPOT 기법, 강의 집중 기법, 강의 환기 기법
⑨ 방탄 리더십 총정리
⑩ 방탄 리더십 피크앤드법칙(The Peak End Rule)

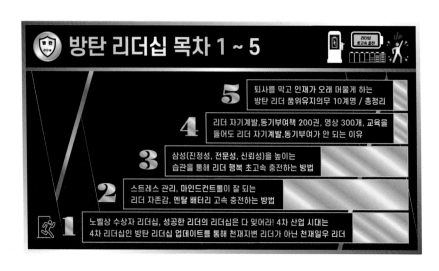

방탄 리더십 목차 1 ~ 5

5 퇴사를 막고 인재가 오래 머물게 하는
방탄 리더 품위유지의무 10계명 / 총정리

4 리더 자기계발,동기부여책 200권, 영상 300개, 교육을
들어도 리더 자기계발,동기부여가 안 되는 이유

3 삼성(진정성, 전문성, 신뢰성)을 높이는
습관을 통해 리더 행복 초고속 충전하는 **방법**

2 스트레스 관리, 마인드컨트롤이 잘 되는
리더 자존감, 멘탈 배터리 고속 충전하는 **방법**

1 노벨상 수상자 리더십, 성공한 리더의 리더십은 다 잊어라! 4차 산업 시대는
4차 리더십인 방탄 리더십 업데이트를 통해 천재지변 리더가 아닌 천재일우 리더

3고 시대
(고물가, 고금리, 고환율)

Newspaper August. 2023

3고 시대에 맞는 리더십으로 업데이트!

1차 산업혁명
1차 리더십

2차 산업혁명
2차 리더십

3차 산업혁명
3차 리더십

4차 산업시대
방탄리더십
4차 리더십

스마트폰은 쓰지 않고 가만히 두어도 배터리가 소모되듯
리더십 배터리 또한 숨만 쉬어도 소모가 된다!

리더십 충전만 하면 하루(1일) 가지만
리더십 충전 방법(방탄 리더십)을 알면 100년 간다!

리더십
초고속 충전

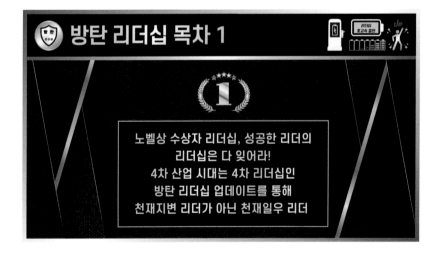

방탄 리더십 목차 1

노벨상 수상자 리더십, 성공한 리더의
리더십은 다 잊어라!
4차 산업 시대는 4차 리더십인
방탄 리더십 업데이트를 통해
천재지변 리더가 아닌 천재일우 리더

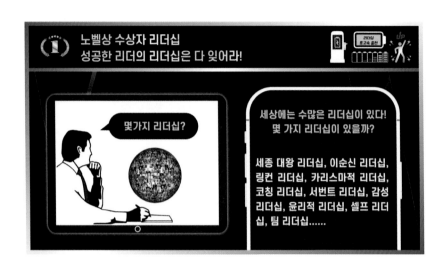

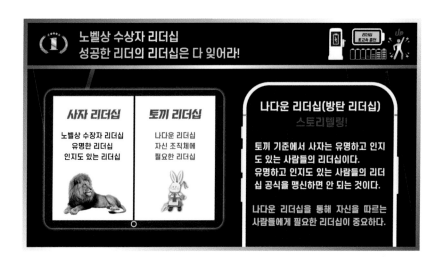

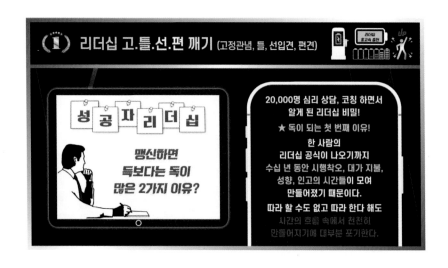

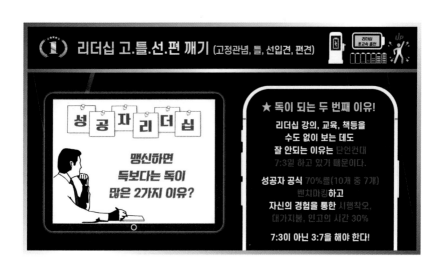

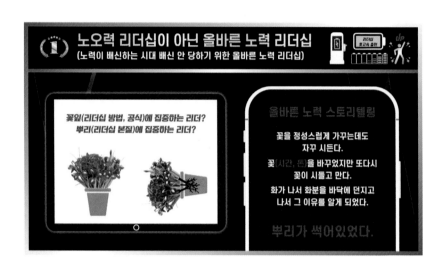

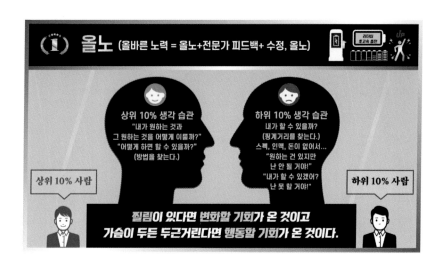

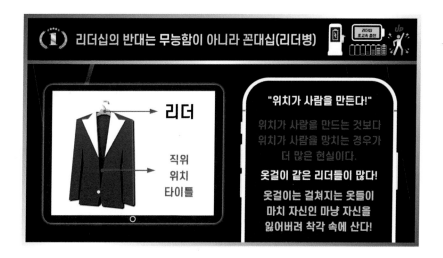

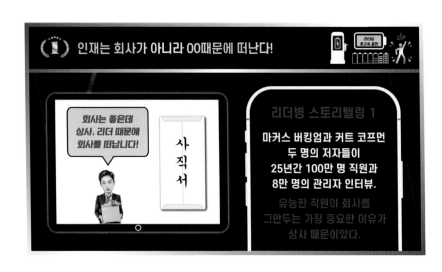

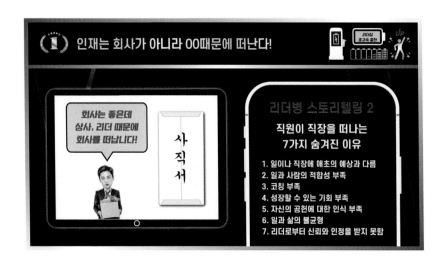

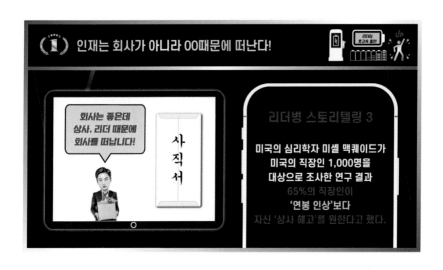

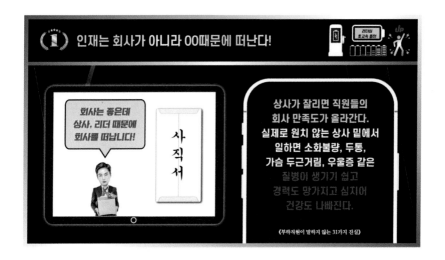

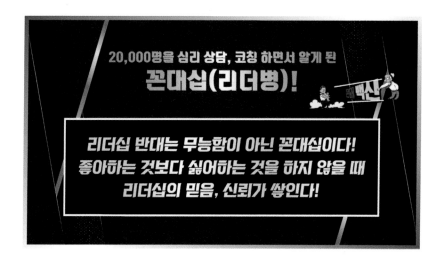

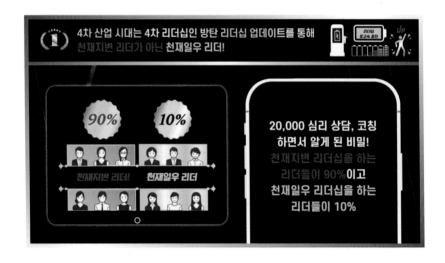

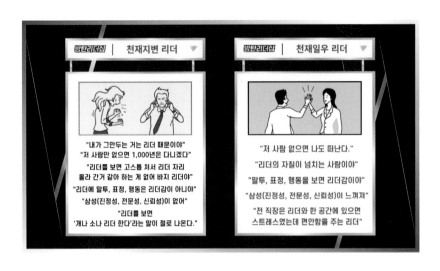

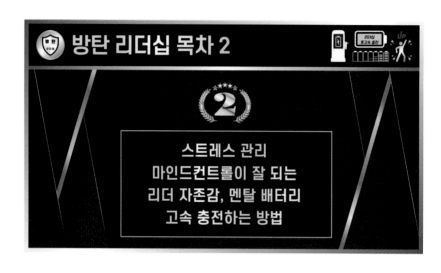

방탄 리더십 목차 2

2

스트레스 관리
마인드컨트롤이 잘 되는
리더 자존감, 멘탈 배터리
고속 충전하는 방법

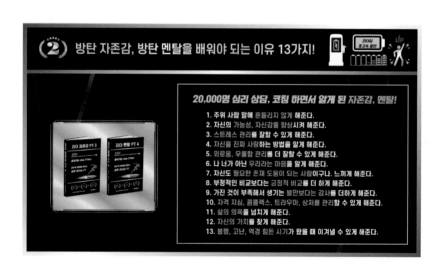

② 방탄 자존감, 방탄 멘탈을 배워야 되는 이유 13가지!

20,000명 심리 상담, 코칭 하면서 알게 된 자존감, 멘탈!

1. 주위 사람 말에 흔들리지 않게 해준다.
2. 자신의 가능성, 자신감을 향상시켜 해준다.
3. 스트레스 관리를 잘할 수 있게 해준다.
4. 자신을 진짜 사랑하는 방법을 알게 해준다.
5. 외로움, 우울함 관리를 더 잘할 수 있게 해준다.
6. 나 너가 아닌 우리라는 마음을 알게 해준다.
7. 자신도 필요한 존재 도움이 되는 사람이구나. 느끼게 해준다.
8. 부정적인 비교보다는 긍정적 비교를 더 하게 해준다.
9. 가진 것이 부족해서 생기는 불만보다는 감사를 더하게 해준다.
10. 자격 지심, 콤플렉스, 트라우마, 상처를 관리할 수 있게 해준다.
11. 삶의 의욕을 넘치게 해준다.
12. 자신의 가치를 찾게 해준다.
13. 불행, 고난, 역경 힘든 시기가 왔을 때 이겨낼 수 있게 해준다.

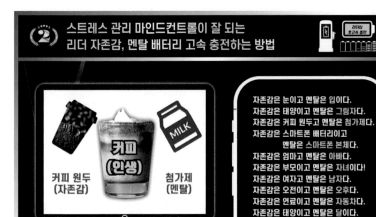

자존감은 눈이고 멘탈은 입이다.
자존감은 태양이고 멘탈은 그림자다.
자존감은 커피 원두고 멘탈은 첨가제다.
자존감은 스마트폰 배터리이고
　　　　멘탈은 스마트폰 본체다.
자존감은 엄마고 멘탈은 아빠다.
자존감은 부모이고 멘탈은 자녀다!
자존감은 여자고 멘탈은 남자다.
자존감은 오전이고 멘탈은 오후다.
자존감은 연료이고 멘탈은 자동차다.
자존감은 태양이고 멘탈은 달이다.
자존감은 물이고 멘탈은 불이다.

★ 자존감, 멘탈 배터리를 5G 속도로 방전 시키는 것은?

① 세상, 현실 기준　② 돈
③ 스펙　　　　　　④ 콤플렉스
⑤ 낮은 자존감　　　⑥ 낮은 멘탈
⑦ 부정적인 태도　　⑧ 소심한 성격
⑨ 가짜 전문가　　　⑩ 자기 자신
⑪ 소중한 사람들　　⑫ 주위 사람들

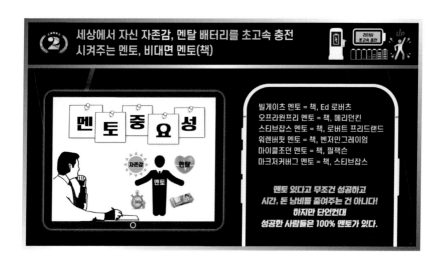

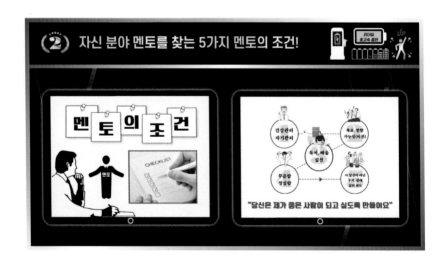

멘토의 중요성은 알겠습니다! 그런데...

멘토 찾기는 어려운 거 같고
누구한테 신세 지기도 싫고
아쉬운 소리 하기도 싫고
시간, 돈이 많이 들거 같고

셀프로 최소의 비용으로 최대 효과를 볼 수 있는
자존감, 멘탈 배터리 충전 방법 없나요?
방법 알려주시면 진짜 열심히 해 보겠습니다!

② 20,000명 심리 상담, 코칭으로 알게 된
셀프 자존감, 멘탈 충전하는 방법!

자존감, 멘탈 배터리 일반 충전, 고속 충전
습관 320가지 중에 일부분 벤치마킹하자!

20,000명 심리 상담, 코칭으로 알게 된
셀프 자존감, 멘탈 충전하는 방법!

- 8시간 숙면하는 것이 자존감, 멘탈 배터리 일반 충전이다.
- 알람 듣고 바로 일어나는 것이 자존감, 멘탈 배터리 일반 충전이다.
- 기상 직후 양치질하고 물 한 잔 마시는 것이 자존감, 멘탈 배터리 일반 충전이다.
- 유산균, 영양제 먹는 것이 자존감, 멘탈 배터리 일반 충전이다.

- 책 읽어 주는 앱(교보문고 SAM) 실행하는 것이 자존감, 멘탈 배터리 일반 충전이다.
- 전신 스트레칭 10분 하는 것이 자존감, 멘탈 배터리 일반 충전이다.
- 세수하고 로션 바르기 전 자존감, 멘탈, 긍정 스티커 보고 얼굴 스트레칭하는
  것이 자존감, 멘탈 배터리 일반 충전이다.
- 하루 2번 박장대소 15초 하는 것이 자존감, 멘탈 배터리 일반 충전이다.

 20,000명 심리 상담, 코칭으로 알게 된
셀프 자존감, 멘탈 충전하는 방법!

- 현관문 앞에 문구 "보규야! 신발장에 자존심 넣어 두고 나가니?"라는 문구 보고 나오는 것이
  자존감, 멘탈 배터리 일반 충전이다.
- 강의가 있건 없건 무조건 집을 나서는 것이 자존감, 멘탈 배터리 일반 충전이다.
- 강의 2~3시간 전 강의장 근처에 도착해서 책 읽는 것이 자존감, 멘탈 배터리 일반 충전이다.
- 강의 1시간 전 강의 마음가짐을 준비하는 것이 자존감, 멘탈 배터리 일반 충전이다.

- 책 메모한 것을 점심시간 때 지인 450명에게 보내는 것이 자존감, 멘탈 배터리 고속 충전이다.
- 배워서 남 주자는 마인드를 실천하는 것이 자존감, 멘탈 배터리 고속 충전이다.
- 한 달에 책 15권 읽는 것이 자존감, 멘탈 배터리 일반 충전이다.
- 담배, 술, TV, 게임 안 하는 것이 자존감, 멘탈 배터리 일반 충전이다.
- 전신 장기기증(160명에게 새로운 삶을 준다.)하고 건강관리하는 것이 자존감, 멘탈 배터리
  고속 충전이다.

- 길 가다 전단지 받는 것이 자존감, 멘탈 배터리 고속 충전이다.
  (그분이 1초라도 먼저 집에 갈 수 있기에)
- 쓰레기를 버리지 않는 것이 자존감, 멘탈 배터리 일반 충전이다.
- 사랑의 전화 카운슬러 봉사하는 것이 자존감, 멘탈 배터리 고속 충전이다.
- 사랑의 전화 후원하는 것이 자존감, 멘탈 배터리 고속 충전이다.

- 주말마다 유치부 봉사하는 것이 자존감, 멘탈 배터리 고속 충전이다.
- 지인 강사들 상담해 주는 것이 자존감, 멘탈 배터리 고속 충전이다.
- 물 7잔 마시는 것이 자존감, 멘탈 배터리 일반 충전이다.
- 탄산음료, 주스 줄이는 것이 자존감, 멘탈 배터리 일반 충전이다.
- 자기관리, 긍정의 모든 것이 자존감, 멘탈 배터리 일반 충전이다.

 20,000명 심리 상담, 코칭으로 알게 된 셀프 자존감, 멘탈 충전하는 방법!

- 마트에서 물건 사고 계산할 때 점원이 편하게 바코드를 찍을 수 있도록 구매한 모든 제품 바코드를 보이게 올려놓으니 점원이 하는 말 "마트 10년 동안 고객님 같은 분은 처음이네요. 바코드가 보이게 해줘서 너무 편했습니다. 너무 감사합니다."라는 말에 "별말씀을요." 말해주며 서로가 행복해지는 것이 자존감, 멘탈 배터리 고속 충전이다.

- 편의점 범죄 하루 42건이고 한 해 15,000건이다. 편의점에서 일하시는 분들 고충을 덜어 주기 위해 박카스 사서 주는 것이 자존감, 멘탈 배터리 고속 충전이다.

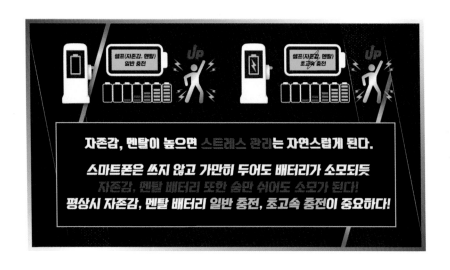

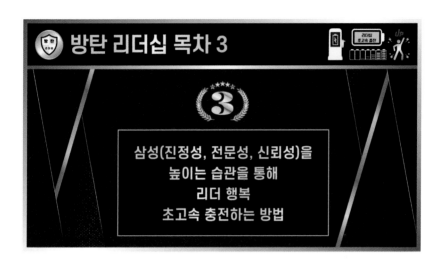

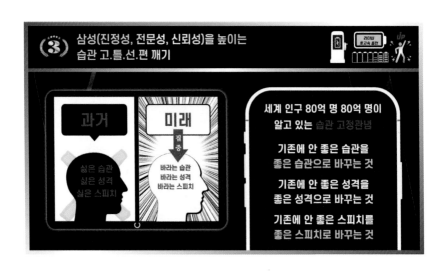

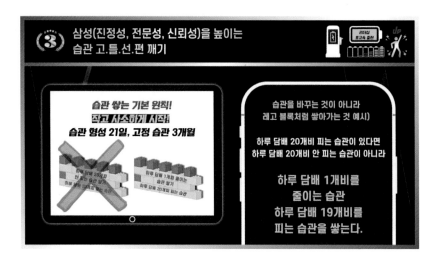

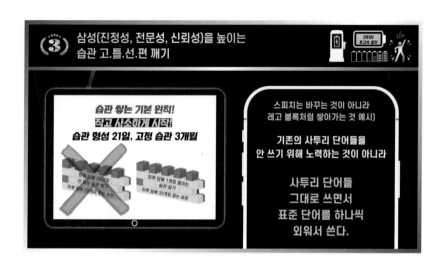

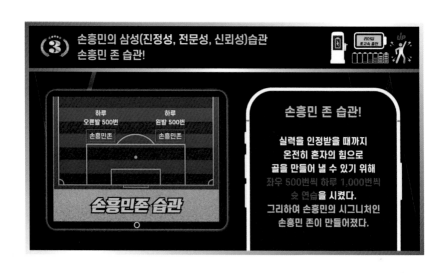

③ 손흥민의 삼성(진정성, 전문성, 신뢰성)습관
손흥민 존 습관!

하루
오른발 500번

하루
왼발 500번

손흥민존   손흥민존

손흥민존 습관

손흥민 존 습관!

실력을 인정받을 때까지
온전히 혼자의 힘으로
골을 만들어 낼 수 있기 위해
좌우 500번씩 하루 1,000번씩
숏 연습을 시켰다.
그리하여 손흥민의 시그니처인
손흥민 존이 만들어졌다.

③ 리더의 삼성(진정성, 전문성, 신뢰성)을 높이는
리더의 000존 습관

손흥민존   손흥민존

손흥민존 습관

자신 분야

000존   000존

리더의 000존 습관

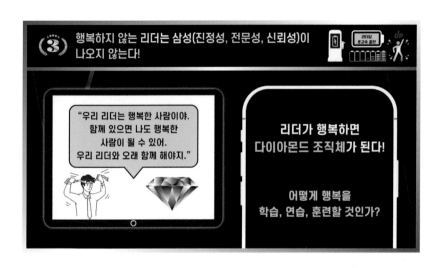

③ 행복하지 않는 리더는 삼성(진정성, 전문성, 신뢰성)이 나오지 않는다!

"우리 리더는 행복한 사람이야.
함께 있으면 나도 행복한
사람이 될 수 있어.
우리 리더와 오래 함께 해야지."

리더가 행복하면
다이아몬드 조직체가 된다!

어떻게 행복을
학습, 연습, 훈련할 것인가?

③ 방탄 리더십 Quiz!

죽을 때까지 3가지? 빼고는 모든 것을 학습, 연습, 훈련해야 한다!

1. 죽음

2. 숨 쉬는 것

3. 나이

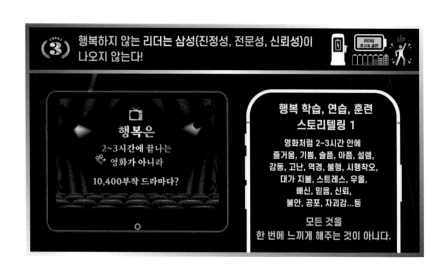

행복 학습, 연습, 훈련
스토리텔링 1

영화처럼 2~3시간 안에
즐거움, 기쁨, 슬픔, 아픔, 설렘,
감동, 고난, 역경, 불행, 시행착오,
대가 지불, 스트레스, 우울,
배신, 믿음, 신뢰,
불안, 공포, 자괴감...등

모든 것을
한 번에 느끼게 해주는 것이 아니다.

행복은
2~3시간에 끝나는
🎬 영화가 아니라

10,400부작 드라마다?

나다운 행복 드라마는 10,400부
작(1주일 2부작×52주×100년)
이기에 하루하루에 집중
(학습, 연습, 훈련) 해야지만

나다운 행복 드라마를 이해할
수가 있다. 마지막 회, 마지막에
행복이 있는 것이 아니다.
한 주 속에 행복 있는 것이다.

머무는 곳에 행복할
수 없으면
그 어디를 가더라도
행복할 수 없다!

행복이란 영화처럼 2~3시간 안에 모든 것을 때려 부어서 느끼는 게 아니라 드라마처럼 한 주 한 주 조금씩 조금씩 느끼는 게 행복이다.

오늘 행복은 내일로 이월이 안 되는 것이다.
오늘의 행복에 집중하자!

- 《행복히어로》 -

리더의 행복도 영화가 아니라 드라마다. 하지만 매출, 결과, 목표 달성, 성과, 돈... 한 달 정산에 행복을 마룬다.

리더가 결과(돈, 매출)에만 행복을 두면 따르는 사람들의 행복도 미뤄지는 것이다.

269

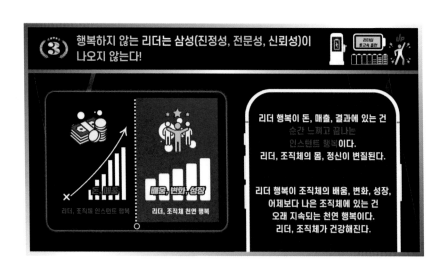

행복하지 않는 리더는 삼성(진정성, 전문성, 신뢰성)이 나오지 않는다!

리더 행복이 돈, 매출, 결과에 있는 건 순간 느끼고 끝나는 인스턴트 행복이다.
리더, 조직체의 몸, 정신이 변질된다.

리더 행복이 조직체의 배움, 변화, 성장, 어제보다 나은 조직체에 있는 건 오래 지속되는 천연 행복이다.
리더, 조직체가 건강해진다.

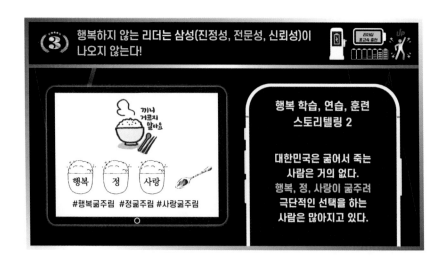

행복하지 않는 리더는 삼성(진정성, 전문성, 신뢰성)이 나오지 않는다!

행복 학습, 연습, 훈련 스토리텔링 2

대한민국은 굶어서 죽는 사람은 거의 없다.
행복, 정, 사랑이 굶주려 극단적인 선택을 하는 사람은 많아지고 있다.

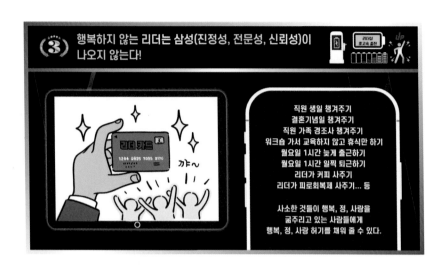

③ 행복하지 않는 리더는 삼성(진정성, 전문성, 신뢰성)이 나오지 않는다!

직원 생일 챙겨주기
결혼기념일 챙겨주기
직원 가족 경조사 챙겨주기
워크숍 가서 교육하지 않고 휴식만 하기
월요일 1시간 늦게 출근하기
월요일 1시간 일찍 퇴근하기
리더가 커피 사주기
리더가 피로회복제 사주기... 등

사소한 것들이 행복, 정, 사랑을
굶주리고 있는 사람들에게
행복, 정, 사랑 허기를 채워 줄 수 있다.

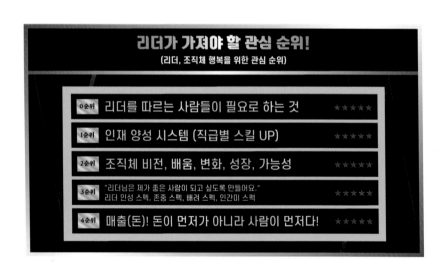

리더가 가져야 할 관심 순위!
(리더, 조직체 행복을 위한 관심 순위)

0순위	리더를 따르는 사람들이 필요로 하는 것	★★★★★
1순위	인재 양성 시스템 (직급별 스킬 UP)	★★★★★
2순위	조직체 비전, 배움, 변화, 성장, 가능성	★★★★★
3순위	"리더님은 제가 좋은 사람이 되고 싶도록 만들어요." 리더 인성 스펙, 존중 스펙, 배려 스펙, 인간미 스펙	★★★★★
4순위	매출(돈)! 돈이 먼저가 아니라 사람이 먼저다!	★★★★★

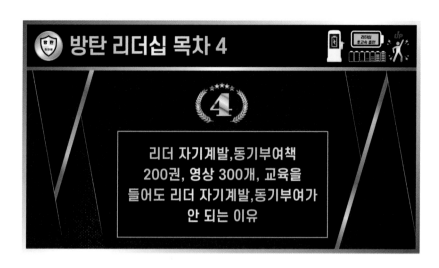

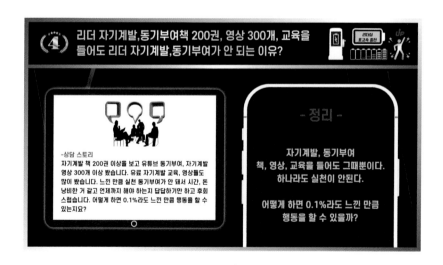

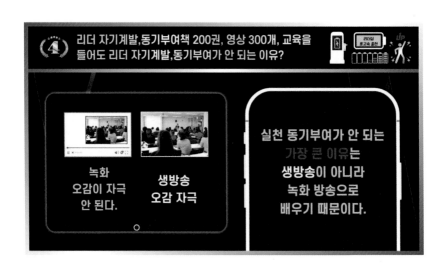

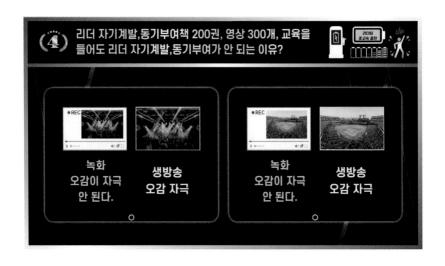

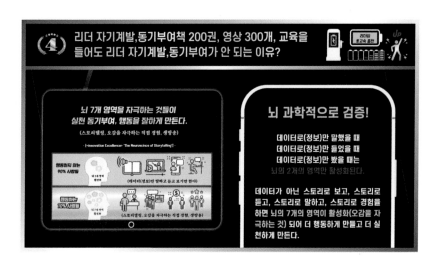

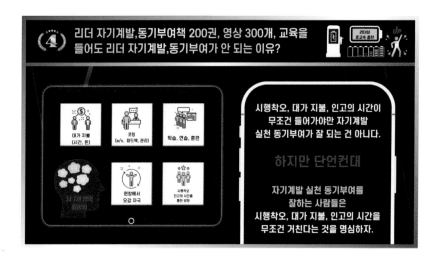

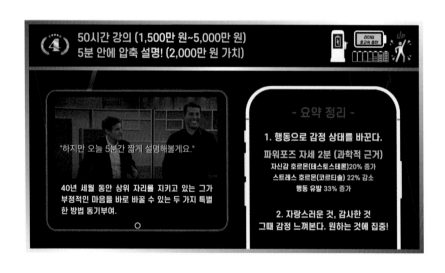

여기서 잠깐! 1,000명 이면 1,000명이 속으로 생각하는 것?
"우와! 5,000만 원 벌었다. 파워포즈 자세 2분만 하면 되네! 쉽네!"

그런데 듣고, 본 것은 1초면 사라지는데.. 에잇! 강의 시간 끝나면 또 다 잊혀지겠지
파워포즈 자세만 집에서 꾸준히 할 수 있다면 얼마나 좋을까?
어떻게 생활 속에서 실천할 수 있을까?

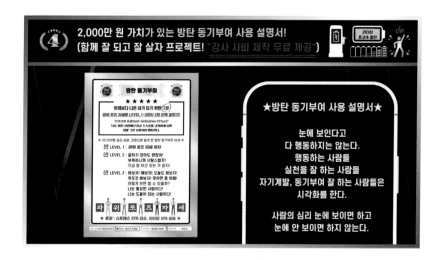

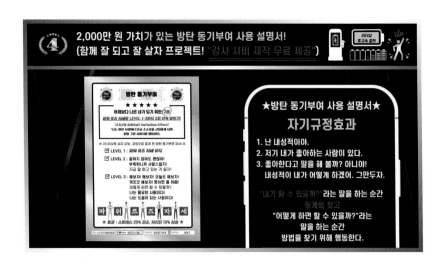

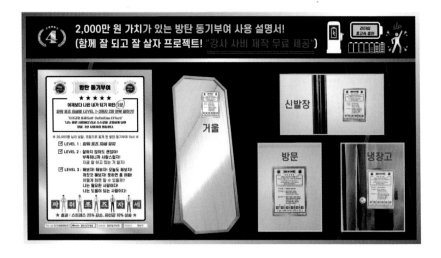

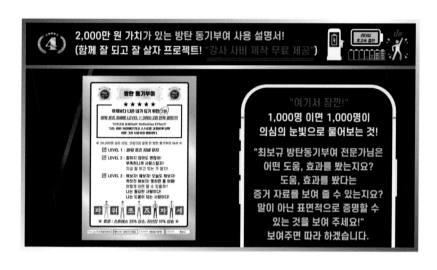

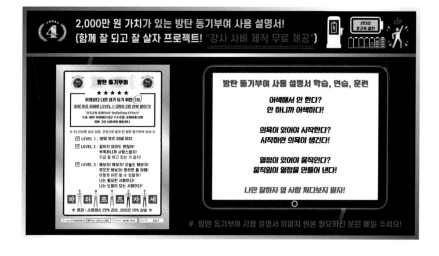

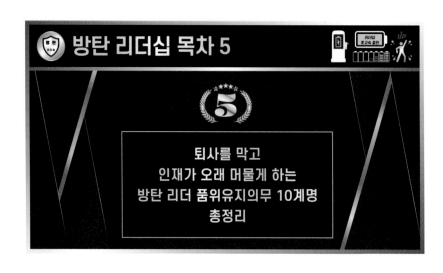

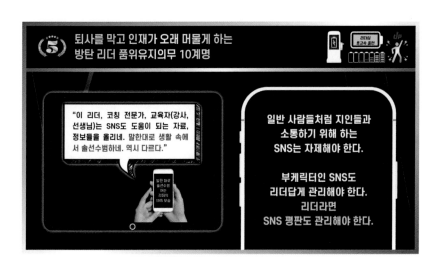

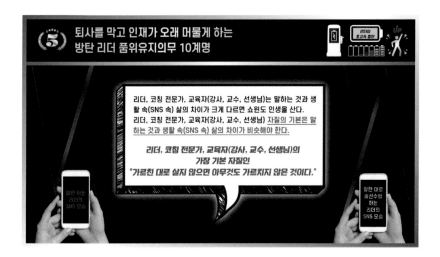

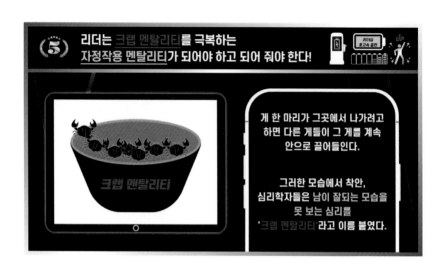

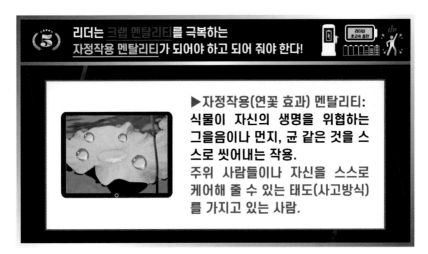

▶자정작용(연꽃 효과) 멘탈리티:
식물이 자신의 생명을 위협하는
그을음이나 먼지, 균 같은 것을 스
스로 씻어내는 작용.
주위 사람들이나 자신을 스스로
케어해 줄 수 있는 태도(사고방식)
를 가지고 있는 사람.

대한민국 5,200만 명 중
크랩 멘탈리티 20%(1,000만 명)
"크랩 멘탈리티에게 당하는 사람 70%"

대한민국 5,200만 명 중
자정작용 멘탈리티 1%

★★★★★ 방탄 리더십

리더는 누구나 되지만
방탄 리더 품위유지의무 10계명은
아무나 못한다!

★★★★★ 방탄 리더 품위유지의무 10계명

1. 꾸준한 학습 (상담사의 전문적인 지식 이외에도 사람들이 평균적으로 물어보는 상담 스킬 학습)
2. 솔선수범 (공인이라는 마음)
3. 정신건강운동 (직원들의 부정을 긍정으로 밀어내기 위한 노력)
4. 측은지심 갖기 (안쓰러운 마음 안타까운 마음)
5. 답을 주는 방탄리더가 되지 않기 (중간자 입장에서)
6. 경청 (눈 , 입 , 코 , 몸 , 귀 , 마음, 삶의 자세)
7. 진인사대천명 (7:3 최선을 다해서 상담하고 나머지 상황은 하늘이 한다는 마음)
8. 방탄리더 자신 삶 속으로 가져오지 않기
9. 코칭 내용 보완 유지
10. 나의 1%는 누군가에게 살아가는 100%가 될 수 있다.

**평균 희망 은퇴 73세, 현실 은퇴 나이 49세!
100세 시대 언제까지 몸(노동)으로만
일해서 돈을 벌 것인가?**

세상, 현실 기준에서 스펙, 돈, 인맥, 자산 등이 없어서 100세까지 노동을 해야 되고 몸까지 아프면 더 답이 없는 상황! 젊을 때는 100가지 중 99가지를 할 수 있지만 나이 들면 100가지 중 99가지를 할 수 없다. 3고 시대, AI 시대, 챗GPT 시대에 자신의 직업이 사라 질 수 있는 상황에서 어떻게 준비, 대비할 것인가?

 **방탄BOOK기술력
선택이 아닌 필수!**

ONLY ONE
방탄
BOOK
기술력

한 분야 전문성으로 힘든 시대다. 이제는 포트폴리오 커리어 시대다. (포트폴리오 커리어: 한 분야 전문성 외 다수에 전문성이 있는 사람) 자신 경력을 왜 썩히고 있는가! 자신 경력을 활용해서 6가지 수입을 발생시킬 수 있는 방탄book기술력! 언제까지 몸(노동)으로 일할 것인가? 자신 경력이 일하게 하자! 자신 콘텐츠가 일하게 하자! 시스템이 일하게 하자!

★ ★ ★ ★ ★

직장은 자신 인생을 책임져 주지 않지만
방탄book기술력은 자신 인생을 책임져 준다.
직장은 자신을 배신하지만
방탄book기술력은 자신을 배신하지 않는다.

ONLY ONE

방탄
BOOK
기술력

방탄 리더십
2시간 강의 강사료 200만 원
교육 PPT 교안 순서

★ ★ ★ ★ ★

방탄 리더십

방탄 리더 1명이
10만 명을 변화 시킨다!

① 방탄 리더십 라포 형성 기법, 마음을 여는 기법
② 방탄 리더십 고.틀.선.편 깨기
③ 방탄 리더십 서론
④ SPOT 기법, 강의 집중 기법, 강의 환기 기법
⑤ 방탄 리더십 본론
⑥ SPOT 기법, 강의 집중 기법, 강의 환기 기법
⑦ 방탄 리더십 결론
⑧ SPOT 기법, 강의 집중 기법, 강의 환기 기법
⑨ 방탄 리더십 총정리
⑩ 방탄 리더십 피크앤드법칙(The Peak End Rule)

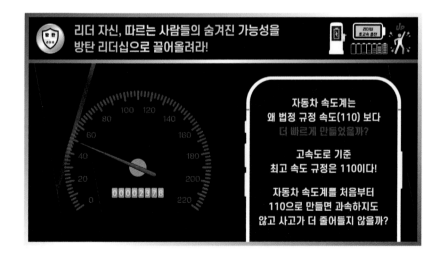

자동차는 왜 법정속도보다 훨씬 빠르게 만들까?

자동차 의 종류에 따라서 차이가 있으나 속도 계기판을 보면 꽤 빠른 속도를 낼 수 있게끔 설계되어 있습니다. 근데 법에서 허용하는 자동차의 최고속도는 시속 100km 내외입니다. 즉 자동차가 속도 계기판에 적힌 최고 속도로 달리는 일은 불법이므로 일반인이 도로에서 자동차를 최고 속도로 운행할 일은 사실상 없습니다. 여기서 주제 의문이 생깁니다.

앞서 알아본 것처럼 제한 사항이 있음에도 자동차는 왜 법정 속도를 훨씬 뛰어넘는 속도로 만드는 걸까요? 오히려 자동차의 최고 속도의 제한을 두면 과속하는 운전자는 없을 것이므로 시민 안전에 도움이 되지 않을까 싶은데 말입니다.

이와 관련해 자동차 제조업체 4곳에 문의를 해봤습니다. 아무래도 규정된 사항이나 관련 자료를 따로 준비해 놓을 만한 내용이 아니다 보니 형식적인 답변을 해준 것도 있었고 나름의 의견을 제시해 준 곳도 있었습니다. 이를 종합해서 봤을 때 몇 가지의 합리적인 이유가 있었고 자체적인 자료조사를 통해 알 수 있었던 내용을 통해 주제 의문을 해결하고자 합니다.

먼저 마케팅 목적의 이유가 있습니다.
많은 사람이 빠른 속도를 낼 수 있는 자동차를 좋은 자동차라고 여깁니다.
자동차의 속도가 빠르다는 것은 성능이 그만큼 받쳐 준다는 것이고 이는 자동차의 스펙이 됩니다. 그리고 자동차의 스펙은 소비자를 사로잡을 수 있는 무기가 됩니다. 이와 비슷하게 스마트폰 카메라 화소도 계속해서 높아지고 있는데 마찬가지로 마케팅에 목적이 있습니다.

다음으로 심리적 안정감의 이유가 있습니다.
시속 80 ~ 110km로 운행하면 속도 계기판의 바늘은 중간이나 중간보다 안 되는 위치에 있습니다. 이것이 운전자에게 심리적 안정감을 줄 수 있고 주로 운행하는 속도일 때 바늘이 중간쯤에 있으면 보기도 편합니다. 즉 인체 공학적인 디자인입니다.

다음으로 엔진의 이유가 있습니다.
이해하기 쉽게 예를 들어서 시속 100km/h 가 한계인 A 자동차와 시속 200km/h가 한계인 B 자동차가 있다고 해 보겠습니다. 이때 두 자동차를 각각 시속 100km/h로 달리게 하면 A 자동차는 전력을 다해야 합니다. 근데 B

자동차는 자신이 갖춘 능력의 반만 사용하면 됩니다. 당연히 B 자동차의 엔진에 무리가 덜 갈 것이고 엔진 소음도 덜 납니다.

다음으로 유동적인 속도 제한 조치에 대응하기 위한 이유가 있습니다.
도로의 따라서 국가에 따라서 속도 제안이 제각각인데 각속도 제안에 맞춰 자동차를 달리 만들면 그에 따른 비용이 더 추가됩니다. 처음 만들 때부터 넉넉하게 만들어 놓으면 이런 문제에서 자유롭습니다.

다음으로 자동차의 무게나 지형의 이유가 있습니다.
언덕을 오르는 중이거나 역풍이 불거나 자동차에 탑승자 또는 짐이 많이 실린 경우 자동차는 속도를 제대로 내지 못할 수 있습니다.
시속 100km가 최근 자동차가 해당 상황에 놓인다면 그보다 더 느린 속도가 나옵니다. 이런 상황을 고려해서라도 더 빠른 속도의 자동차가 필요합니다.
<유튜브 사물궁이 잡학지식>

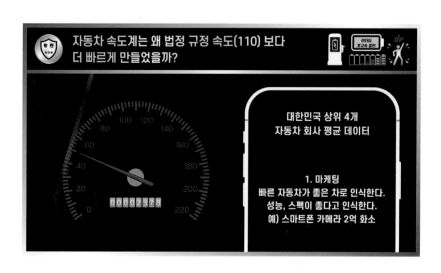

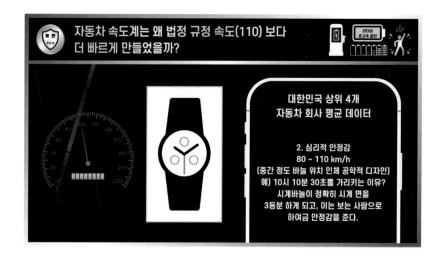

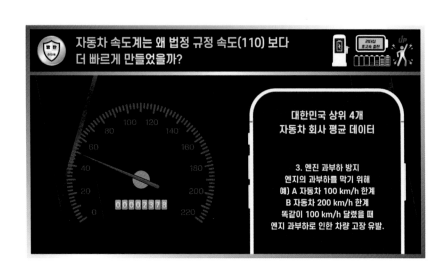

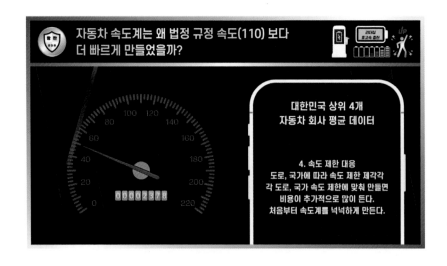

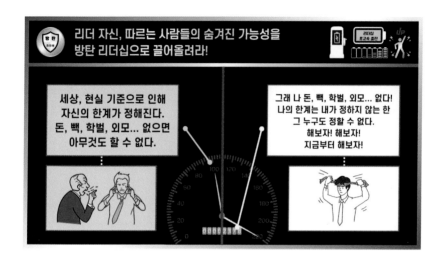

▶ 영상 전체 내용!

기댈 곳 / 가수 싸이
당신의 오늘 하루가 힘들진 않았나요
나의 하루는 그저 그랬어요
괜찮은 척하기가 혹시 힘들었나요
난 그저 그냥 버틸만했어요
솔직히 내 생각보다 세상은 독해요
솔직히 난 생각보다 강하진 못해요.
하지만 힘들다고 어리광 부릴 순 없어요.
버틸 거야 견딜 거야 괜찮을 거야
하지만 버틴다고 계속 버텨지지는 않네요

그래요 나 기댈 곳이 필요해요
그대여 나의 기댈 곳이 돼줘요
당신의 고된 하루를 누가 달래주나요
다독여달라고 해도 소용없어요
솔직히 난 세상보다 한참 부족해요
솔직히 난 세상만큼 차갑진 못해요
하지만 힘들다고 어리광 부릴 순 없어요
버틸 거야 견딜 거야 괜찮을 거야
하지만 버틴다고 계속 버텨지지는 않네요
그래요 나 기댈 곳이 필요해요
그대여 나의 기댈 곳이 돼줘요
항상 난 세상이 날 알아주길 바래
실은 나 세상이 날 안아주길 바래
괜찮은 척하지만 사는 게 맘 같지는 않네요
저마다의 웃음 뒤엔 아픔이 있어
하지만 아프다고 소리 내고 싶지는 않아요
그래요 나 기댈 곳이 필요해요
그대여 나의 기댈 곳이 돼줘요

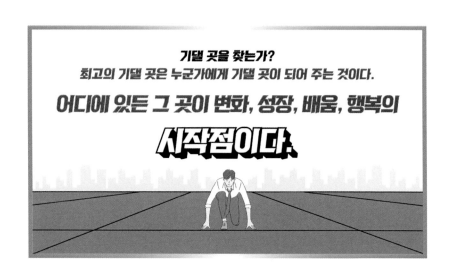

기댈 곳을 찾는가?
최고의 기댈 곳은 누군가에게 기댈 곳이 되어 주는 것이다.
어디에 있든 그 곳이 변화, 성장, 배움, 행복의
시작점이다.

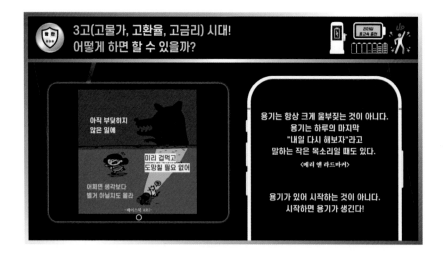

3고(고물가, 고환율, 고금리) 시대!
어떻게 하면 할 수 있을까?

아직 부딪히지
않은 일에

미리 겁먹고
도망칠 필요 없어

어쩌면 생각보다
별거 아닐지도 몰라

-페이스북 ARI-

용기는 항상 크게 울부짖는 것이 아니다.
용기는 하루의 마지막
"내일 다시 해보자"라고
말하는 작은 목소리일 때도 있다.
〈메리 앤 라드마커〉

용기가 있어 시작하는 것이 아니다.
시작하면 용기가 생긴다!

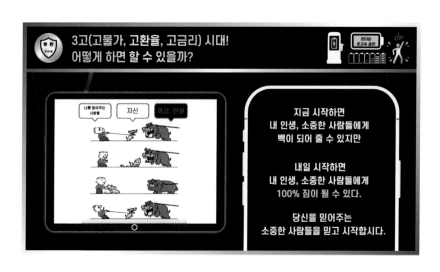

◆ 참고문헌, 출처

《나다운 방탄 리더십》 최보규, 부크크, 2023

<유튜브 터닝포인트.위대한 성공의 시작점>

<유튜브 필미필미TV>

<네이버 블로그 네오애플>

대한민국에서 감정노동자로 살아남는 법》 김계순, 박순주, 새로운제
안, 2013

<톱클래스 http://topclass.chosun.com>

<SBS 신발벗고 돌싱포맨>

<브론치 라운드에 지혜, 구선생>

《강의력》 최재웅, 폴앤마크, 2013

<정신과 박사 아브라함 트워스키> <유튜브 포크포크>

<Weekly Goodnews>

<KBS FM 106.1 김태훈의 프리웨이>

《뭐라고 불어야 해?》 천준형, 달그림, 2021

《확신》 롭 무어, 다산북스, 2021

《여덟 단어》 박웅현, 북하우스, 2013

《인문학 습관》 윤소정, 다산초당, 2015

<페이스북 ggumtalk>

<유튜브 열정에 기름 붓기>

<운과 공>

<남해신문(http://www.namhae.tv)>

《그러니까 상상하라》 최윤규, 고즈윈, 2012

《부모라면 놓쳐서는 안 될 유대인 교육법》 임지은, 미디어숲,
2020

<힐링캠프 황정민VS500인편>

《나다운 강사1》 최보규, 좋은땅, 2019

《나다운 강사2》 최보규, 좋은땅, 2019
<따뜻한 하루>
<유튜브 멘탈케어::힐링 심리학 채널::>
《평생감사》 전광, 생명의말씀사, 2007
<국토교통부>
《사람의 마음을 움직이는 힘》 스티브 심스, 캘리온
<유튜브 스터디언>
미국의 오래된 고전 <거장의 손이 닿을 때> 라는 시
<네이버 지식백과>
<나의 해방일지>

강사 비수기 5개월 7
(돈 못 버는 강사 돈 버는 강사)

발 행 | 2024년 08월 08일

저 자 | 최보규, 서윤희

편 집 | 최보규, 서윤희

디자인 | 최보규, 서윤희

마케팅 | 최보규

펴낸이 | 한건희

펴낸곳 | 주식회사 부크크

출판사등록 | 2014.07.15.(제2014-16호)

주 소 | 서울특별시 금천구 가산디지털1로 119 SK트윈타워 A동 305호

전 화 | 1670-8316

이메일 | info@bookk.co.kr

ISBN | 979-11-410-9861-2

www.bookk.co.kr